≡ 昌明文庫・悅讀經典 ≡

一・生・必・讀・的

中外經典名著

歷史卷

劉上洋｜主編　陳東有｜副主編

陳曉鳴、萬振凡｜選編

前言
FOREWORD
● ● ●

　　學習是文明傳承之途、人生成長之梯、政黨鞏固之基、國家興盛之要。我們黨歷來重視和善於學習。建設馬克思主義學習型政黨，是黨的十七屆四中全會提出的一項重大戰略任務，是黨中央從當前世情、國情、黨情出發，進一步動員全黨加強學習、開拓奮進的重大舉措。胡錦濤總書記在「七一」講話中，對建設學習型政黨又提出了新的希望和要求，強調「全體黨員、幹部都要把學習作為一種精神追求」，「真正做到學以立德、學以增智、學以創業」。一個黨員只有不斷地通過讀書豐富和完善自己的理論知識，汲取人類源源不盡的智慧精華，才能提升自身的素質與修養，才能不斷適應新形勢、新要求，才能在新的歷史起點上開闢事業發展的新境界。

　　知識永無止境，書籍浩如煙海。要在有限的時間裏通過讀書學習獲取最大的收穫，就要在讀書學習時做到有所選擇、有所取捨。只有選取那些劃時代的經典著作，特別是那些能夠啟動感性、啟發知性、錘鍊理性的經典名篇進行重點閱讀，才能收到事半功倍的效果。大浪淘沙，真金自見。經過歷史檢驗而巍然存世的經典名篇是古今中外的文化精華，是人類智慧的結晶。這些傳世之作歷久彌新，蘊涵著大量的治政理念、法治精神、哲學思考、經濟思想、文學精髓、歷史規律、科技知識和藝術感悟等，是我們取之不盡、用之不竭的文化源泉。閱讀這些經典名篇，既能使我們博採眾長，不斷增加知識儲備，

又能使我們產生思想上的共振共鳴，得到精神上的愉悅享受。

為此，省委宣傳部組織編輯出版了這套黨員幹部閱讀系列叢書。該套叢書共分為政治卷、哲學卷、經濟卷、歷史卷、法律卷、文學卷、科技卷、藝術卷8卷，從古今中外浩繁的書籍中遴選了部分具有啟迪、普及意義的經典名篇，以滿足全省廣大黨員幹部對高品位、高品質、多學科經典著作的閱讀需要。同時，也藉此在全社會大興讀書學習之風，推動各級黨組織形成愛讀書、樂讀書、讀好書、善讀書的良好風氣，促進全省學習型黨組織建設活動廣泛深入地開展，使廣大黨員幹部更好地適應時代和社會發展的需要，為實現江西科學發展、進位趕超、綠色崛起貢獻智慧和力量。

2011 年 10 月 13 日

＊編按：本文原刊《讀精品・品經典・歷史卷》之〈前言〉。

目錄
CONTENTS

● ● ●

一、世界歷史之演進

馬克思・工人階級的政府：巴黎公社　001

馬克思・傳統與革命　005

恩格斯・家庭的起源　009

吉本・基督教成長的原因　013

喬治・格羅特・伯里克利司法制度改革　017

米涅・法國大革命的發生及意義　021

摩爾根・人類起源的統一性　025

布克哈特・意大利人文主義的興起與衰落　029

福澤諭吉・日本文明的來源　033

奧斯維德・斯賓格勒・西方文明的沒落　037

湯因比・原始社會和文明社會的區別　041

尼赫魯・印度的文化傳統　045

潘克拉托娃・15世紀末俄羅斯國的社會制度　049

維克多・李・伯克・不同文明的衝突是社會進步的動力　053

格裏高利・克拉克・東西方經濟發展大分流的主要原因　　●　057

費爾南・布羅代爾・文明、經濟與資本主義　　●　061

霍布斯鮑姆・20世紀的第三世界革命　　●　065

撒母耳・亨廷頓・一個多極和多元文化的世界　　●　069

黃安年・近代美國歷史發展的特點　　●　073

擴展閱讀　　●　076

二、中國古代史論

孫武・戰略決策成功之本　　●　078

孫武・兵馬未動糧草先行　　●　080

左丘明・曹劌論戰　　●　082

左丘明・臥薪嘗膽　　●　084

呂不韋・執政為民國事萬興　　●　088

呂不韋・賞罰分明　　●　090

黃石公・人賢政興　　●　092

韓非・安危之道　　●　096

賈誼・治安策　　●　099

司馬遷・傳說中的「英雄時代」　　●　104

司馬遷・鴻門宴 ● 107

劉向・賢興邦佞毀國 ● 111

戴聖・大同與小康 ● 114

王符・選賢任官治國興邦 ● 116

陳壽・隆中對 ● 119

吳兢・為政之道 ● 121

歐陽修・伶官傳序 ● 125

王安石・本朝百年無事箚子 ● 127

張廷玉・況鍾興利除弊端 ● 131

鄭觀應・開眼看世界 ● 133

梁啟超・《變法通議》自序 ● 137

擴展閱讀 ● 139

三、中國近現代歷史之大勢

毛澤東・半殖民地、半封建的近代中國社會 ● 142

毛澤東・中國抗日戰爭的發展規律 ● 147

愛德格・斯諾・大渡河上的英雄 ● 151

費正清・清朝中期以前的中國外交策略 ● 155

施堅雅・中華帝國晚期的城市體系及結構 　159

黃宗智・近代華北平原的小農經濟 　163

杜贊奇・鄉村社會中的權力文化網路 　167

康有為・改良派的富民六法 　171

鄒容・中國要救國不可不革命 　175

孫中山・國民「心理建設」刻不容緩 　179

吳虞・家族制度是專制主義之基礎 　183

李大釗・中共早期領導人的馬克思主義觀 　187

郭沫若・甲申三百年祭 　191

梁漱溟・中國社會的結構特點 　195

薄一波・社會主義建設的經驗與教訓 　199

費孝通・中國鄉土社會中的禮治 　203

費孝通・近代江南地區農民的經濟生活 　207

胡繩・中國共產黨的創建 　211

孫隆基・中國文化的「超穩定體系」 　215

擴展閱讀 　218

附錄：中國古代思想家論修身治家

老子・道德經　　　　　　　　　　　　　　221

墨翟・兼相愛・交相利　　　　　　　　　　224

孟軻・窮則獨善其身・達則兼濟天下　　　　227

孟軻・魚我所欲也　　　　　　　　　　　　229

荀況・學無止境　　　　　　　　　　　　　231

荀況・修身養性　　　　　　　　　　　　　235

荀況・為官修養　　　　　　　　　　　　　239

呂不韋・立信樹威　　　　　　　　　　　　243

韓非・觀察行為的方法　　　　　　　　　　245

司馬遷・報任安書　　　　　　　　　　　　247

劉向・行六正則榮犯六邪則辱　　　　　　　253

戴聖・修身齊家治國平天下　　　　　　　　256

王肅・人仕為官　　　　　　　　　　　　　259

王肅・修身的目標　　　　　　　　　　　　262

司馬光・訓儉示康　　　　　　　　　　　　266

朱熹・白鹿洞書院學規　　　　　　　　　　269

文天祥・正氣歌　　　　　　　　　　　　　272

張之洞・張之洞誡子書   ● 274

擴展閱讀   ● 276

後記   ● 277

一 ··· 世界歷史之演進

馬克思

工人階級的政府：巴黎公社

　　公社實現了所有資產階級革命都提出的廉價政府這一口號，因為它取消了兩個最大的開支項目，即常備軍和國家官吏。公社的存在本身就意味著君主制已不存在。君主制是，至少在歐洲是階級統治的應有的贅瘤和不可或缺的外衣。公社給共和國奠定了真正民主制度的基礎。但是，無論廉價政府或「真正共和國」，都不是它的終極目標，而只是它的伴生物。

　　人們對公社有多種多樣的解釋，多種多樣的人把公社看成自己利益的代表者，這證明公社完全是一個具有廣泛代表性的政治形式，而一切舊有的政府形式都具有非常突出的壓迫性。公社的真正秘密就在於：它實質上是工人階級的政府，是生產者階級同佔有者階級鬥爭的產物，是終於發現的可以使勞動在經濟上獲得解放的政治形式。

　　如果沒有最後這個條件，公社制就沒有實現的可能，就是欺人之

談。生產者的政治統治不能和他們永久不變的社會奴隸地位並存。所以，公社要成為剷除階級賴以存在、因而也是階級統治賴以存在的經濟基礎的工具。勞動一解放，每個人都變成工人，於是生產勞動就不再是某一階級的屬性了。

　　工人階級並沒有期望公社做出奇蹟。他們不是要憑一紙法令去推行什麼現成的烏托邦。他們知道，為了謀求自己的解放，並同時創造出現代社會在本身經濟因素作用下不可遏止地向其趨歸的那種更高形式，他們必須經過長期的鬥爭，必須經過一系列將環境和人都加以改造的歷史過程。工人階級不是要實現什麼理想，而只是要解放那些由舊的正在崩潰的資產階級社會本身孕育著的新社會因素。工人階級充分認識到自己的歷史使命，滿懷完成這種使命的英勇決心，所以他們能夠笑對那些搖筆桿子的文明人中之文明人的粗野謾罵，笑對好心腸的資產階級空談家的訓誡，這些資產階級空談家總是滔滔不絕地宣講他們那一套無知的陳詞濫調和頑固的宗派主義謬論。

　　公社對農民說，「公社的勝利是他們的唯一希望」，這是完全正確的。公社在最初發表的一項公告裏就已經宣佈，戰爭的費用要讓真正的戰爭發動者來償付。公社能使農民免除血稅，能給他們一個廉價政府，能把現今吸吮著他們鮮血的公證人、律師、法警和其它法庭吸血鬼，換成由他們自己選出並對他們負責的領工資的公社勤務員。公社能使他們免除鄉警、憲兵和省長的殘暴壓迫，能用啟發他們智慧的學校教師去代替麻痹他們頭腦的教士。而法國農民首先是善於算帳的人。他們會發現，付給教士的錢不由稅吏們強制徵收，而只由各教區的居民依其宗教情感自願捐贈，那是合情合理的。這些都是公社的統

治——也只有這統治——使法國農民馬上就能得到的巨大好處。

可見，公社是法國社會的一切健全成分的真正代表，因而也就是真正的國民政府；而另一方面，它作為工人的政府，作為勞動解放的勇敢鬥士，同時又具有十足國際的性質。普魯士軍隊使法國的兩個省歸屬於德國，而就在這支軍隊的眼前，公社使全世界的工人都歸屬於法國。

公社的偉大社會措施就是它本身的存在和工作。它所採取的各項具體措施，只能顯示出走向屬於人民、由人民掌權的政府的趨勢。這類措施是：不准讓麵包行業的幫工做夜工；用嚴懲的辦法禁止雇主們以各種藉口對工人罰款以減低工資——雇主們在這樣做的時候集立法者、審判官和執行吏於一身，而且以罰款中飽私囊。另一個此類的措施是把一切已關閉的作坊或工廠——不論是資本家逃跑了還是自動停了工——都交給工人協作社，同時給企業主保留獲得補償的權利。

公社的那些引人注目的明智而溫和的財政措施，只能是與圍城狀態相適應的措施。鑒於各大金融公司和承包商們在歐斯曼庇護下掠奪了巴黎大量錢財，公社要是沒收他們的財產，其理由要比路易‧波拿巴沒收奧爾良家族的財產充足萬倍。霍亨索倫家族和英國的政治寡頭們的財產中有很大一部分是靠掠奪教會得來的，而公社才僅僅從沒收教會財產上得到 8000 法郎，他們就對此大為憤慨，這是理所當然的事。

公社簡直是奇跡般地改變了巴黎的面貌！第二帝國的那個花花世界般的巴黎消失得無影無蹤。法國的京城不再是不列顛的大地主、愛爾蘭的在外地主、美利堅的前奴隸主和暴發戶、俄羅斯的前農奴主和

瓦拉幾亞的封建貴族麋集的場所了。屍體認領處裏不再有屍體了，夜間破門入盜事件不發生了，搶劫也幾乎絕跡了。

　　工人的巴黎及其公社將永遠作為新社會的光輝先驅而為人所稱頌。它的英烈們已永遠銘記在工人階級的偉大心坎裏。那些扼殺它的劊子手們已經被歷史永遠釘在恥辱柱上，不論他們的教士們怎樣禱告也不能把他們解脫。

　　（節選自馬克思《法蘭西內戰》，出自《馬克思恩格斯全集》第 17
卷，人民出版社 1963 年版）

編選説明 ●●●

　　《法蘭西內戰》精闢地分析了巴黎公社的發展過程和歷史意義，概括了巴黎公社的歷史經驗。在所選文字中，馬克思認為，巴黎公社在政治、經濟、教育等方面所採取的措施，體現了人民管理制的發展方向。巴黎公社「實質上是工人階級的政府，是生產者階級同佔有者階級鬥爭的結果，是終於發現的、可以使勞動在經濟上獲得解放的政治形式」，從而用巴黎公社的新經驗進一步論證和豐富了無產階級革命必須首先打碎資產階級國家機器的思想，發展了馬克思主義關於無產階級革命和無產階級專政的學説。

馬克思

●　●　●

傳統與革命

　　人們自己創造自己的歷史，但是他們並不是隨心所欲地創造，並不是在他們自己選定的條件下創造，而是在直接碰到的、既定的、從過去承繼下來的條件下創造。一切已死的先輩們的傳統，像夢魘一樣糾纏著活人的頭腦。當人們好像剛好在忙於改造自己和周圍的事物並創造前所未聞的事物時，恰好在這種革命危機時代，他們戰戰兢兢地請出亡靈來為他們效勞，借用它們的名字、戰鬥口號和衣服，以便穿著這種久受崇敬的服裝，用這種借來的語言，演出世界歷史的新的一幕。例如，路德換上了使徒保羅的服裝，1789——1814 年的革命依次穿上了羅馬共和國和羅馬帝國的服裝，而 1848 年的革命就只知道拙劣地時而模仿 1789 年，時而又模仿 1793——1795 年的革命傳統。

　　在觀察世界歷史上這些召喚亡靈的行動時，立即就會看出它們中間的顯著差別。舊的法國革命時的英雄卡米爾‧德穆蘭、丹東、羅伯斯比爾、聖茹斯特、拿破崙，同舊的法國革命時的黨派和人民群眾一樣，都穿著羅馬的服裝，講著羅馬的語言來實現當代的任務，即解除桎梏和建立現代資產階級社會。前幾個人粉碎了封建制度的基礎，割去了長在這個基礎上的封建頭腦；另一個人在法國內部創造了一些條件，從而才保證有可能發展自由競爭，經營分成小塊的地產，利用解除了桎梏的國內的工業生產力，而他在法國境外則到處根據需要清除

各種封建的形式，為的是要給法國資產階級社會在歐洲大陸上創造一個符合時代要求的適當環境。但是，新的社會形態一形成，遠古的巨人連同復活的羅馬古董——所有這些布魯士們、格拉古們、普卜利柯拉們、護民官們、元老們以及愷撒本人就都消失不見了。

資產階級社會完全埋頭於財富的創造與和平競爭，竟忘記了古羅馬的幽靈曾經守護過它的搖籃。但是，不管資產階級社會怎樣缺少英雄氣概，它的誕生卻是需要英雄行為，需要自我犧牲、恐怖、內戰和民族間戰鬥的。在羅馬共和國的高度嚴格的傳統中，資產階級社會的鬥士們找到了理想和藝術的形式，找到了他們為了不讓自己看見自己的鬥爭的資產階級狹隘內容、為了要把自己的熱情保持在偉大歷史悲劇的高度上所必需的自我欺騙。例如，在 100 年前，在另一發展階段上，克倫威爾和英國人民為了他們的資產階級革命，就借用過舊約全書中的語言、熱情和幻想，當真正的目的已經達到，當英國社會的資產階級改造已經實現時，洛克就排擠了哈巴谷。

由此可見，在這些革命中，使死人復生是為了讚美新的鬥爭，而不是為了拙劣地模仿舊的鬥爭；是為了在想像中誇大某一任務，而不是為了迴避在現實中解決這個任務；是為了再度找到革命的精神，而不是為了讓革命的幽靈重行遊蕩。

在 1848—1851 年間，只有舊革命的幽靈在遊蕩，從改穿了老巴伊的服裝的戴黃手套的共和黨人馬拉斯特起，直到用拿破崙的死人鐵面型把自己的鄙陋可厭的面貌掩蓋起來的冒險家止。自以為借助革命加速了自己的前進運動的整個民族，忽然發現自己被拖回到一個早已死亡的時代；而為了不致對倒退產生錯覺，於是就使那些早已成為古

董的舊的日期、舊的紀年、舊的名稱、舊的敕令以及好像早已腐朽的
舊憲兵復活起來。

　　法國人在從事革命的時候總不能擺脫對拿破崙的追念，12 月 10
日的選舉就證明了這一點。由於害怕革命的危險，他們曾經退回去追
求埃及的肉鍋，1851 年 12 月 2 日事件便是對於這一點的回答。他們
所得到的不只是一幅老拿破崙的漫畫，他們得到的是漫畫化的老拿破
崙本身，是在 19 世紀中葉所應當出現的老拿破崙。

　　19 世紀的社會革命不能從過去，而只能從未來汲取自己的詩
情。它在破除一切對過去的迷信以前，是不能開始實現自己的任務
的。從前的革命需要回憶過去的世界歷史事件，為的是向自己隱瞞自
己的內容。19 世紀的革命一定要讓死人去埋葬他們的死人，為的是
自己能弄清自己的內容。從前是辭藻勝於內容，現在是內容勝於辭
藻。

　　二月革命對於舊社會是一個突然襲擊，是一個意外事件，而人民
則把這個突然的打擊宣佈為具有世界歷史意義的壯舉，認為它開闢了
一個新紀元。12 月 2 日，二月革命被一個狡猾的賭徒的騙術所葬
送，結果，被消滅的不再是君主制度本身，而是一個世紀以來的鬥爭
從君主制度方面奪取來的自由主義的讓步。結果，不是社會本身獲得
了新的內容，而只是國家回到了最古的形態，回到了寶劍和袈裟的極
端原始的統治。

（節選自馬克思《路易‧波拿巴的霧月十八日》，人民出版社 1962 年
版）

編選說明 ● ● ●

　　馬克思的《路易‧波拿巴的霧月十八日》被恩格斯稱為「一部天才的著作」。在此書中，馬克思運用了唯物史觀，精準地分析了路易‧波拿巴的獨裁的圖謀；分析了法國農民、工人、資產階級民主派、共和派之間錯綜複雜的政治鬥爭及其背後的玄機；入木三分地分析了當時法國的「活」的歷史。馬克思指出：每個民族都有自己的傳統，傳統無法擺脫，但傳統對革命有強大的制約作用，革命需要利用傳統，但又必須突破傳統。馬克思對傳統與革命關係的這一論述，對我們正確理解當時的法國歷史以及各國革命史提供了科學的視角。

恩格斯

家庭的起源

　　摩爾根在這樣考證過去的家庭的歷史時，同他的多數同行一致，也認為曾經存在過一種原始的狀態，那時部落內部盛行毫無限制的性關係，因此，每個女子屬於每個男子，同樣，每個男子也屬於每個女子。

　　近年來，否認人類性生活的這個初期階段，已成時髦了。人們想使人類免去這一「恥辱」。在這裏，人們不僅以缺乏任何直接的證據為口實，而且還特別引用其它動物界的例子；從其它動物界裏，勒土爾諾搜集了許多事實，表明完全雜亂的性關係即使在這裏也應該屬於低級發展階段。但是，我從這一切事實中只能得出這樣一個結論，即它們對於人類及其原始生活條件絕對證明不了任何東西。

　　不僅兄弟和姊妹起初曾經是夫婦，而且父母和子女之間的性關係今日在許多民族中也還是允許的。白令海峽沿岸的加惟基人、阿拉斯加附近的科迪亞克島上的人、英屬北美內地的提納人，都有這種關係；勒土爾諾也提出了關於印第安赤北韋人、智利的庫庫人、加勒比人、印度支那半島的克倫人的同樣事實的報告；至於古希臘人和古羅馬人關於帕提亞人、波斯人、西敘亞人、匈奴人等的故事，在這裏就不必說了。

　　按照摩爾根的意見，從這種雜亂的性關係的原始狀態中，大概很

早就發展出了以下幾種家庭形式：

1.血緣家庭——這是家庭的第一個階段。在這裏，婚姻集團是按照輩分來劃分的：在家庭範圍以內的所有祖父和祖母，都互為夫妻；他們的子女，即父親和母親，也是如此；同樣，後者的子女，構成第三個共同夫妻圈子。而他們的子女，即第一個集團的曾孫子女們，又構成第四個圈子。這樣，這一家庭形式中，僅僅排斥了祖先和子孫之間、雙親和子女之間互為夫妻的權利和義務（用現代的說法）。同胞兄弟姊妹、從（表）兄弟姊妹、再從（表）兄弟姊妹和血統更遠一些的從（表）兄弟姊妹，都互為兄弟姊妹，正因為如此，也一概互為夫妻。

2.普那路亞家庭。如果說家庭組織上的第一個進步在於排除了父母和子女之間相互的性關係，那麼，第二個進步就在於對於姊妹和兄弟也排除了這種關係。這一進步，由於當事者的年齡比較接近，所以比第一個進步重要得多，但也困難得多。這一進步是逐漸實現的，大概先從排除同胞的兄弟姊妹之間的性關係開始，起初是在個別場合，以後逐漸成為慣例，最後甚至禁止旁系兄弟姊妹之間的結婚，用現代的稱謂來說，就是禁止同胞兄弟姊妹的子女、孫子女以及曾孫子女之間結婚。

3.對偶制家庭。某種或長或短時期內的成對配偶制，在群婚制度下，或者更早的時候，就已經發生了；一個男子在許多妻子中有一個主妻。在這一階段上，一個男子和一個女子共同生活；不過，多妻和偶而的通姦，則仍然是男子的權利，雖然由於經濟的原因，很少有實行多妻制的；同時，在同居期間，多半都要求婦女嚴守貞操，要是有

了通姦的情事，便殘酷地加以處罰。然而，婚姻關係是很容易由任何一方解除的，而子女像以前一樣仍然只屬於母親。

4.專偶制家庭。如上所述，它是在野蠻時代的中級階段和高級階段交替的時期從對偶制家庭中產生的；它的最後勝利乃是文明時代開始的標誌之一。它是建立在丈夫的統治之上的，其明顯的目的就是生育有確鑿無疑的生父的子女；而確定這種生父之所以必要，是因為子女將來要以親生的繼承人的資格繼承他們父親的財產。專偶制家庭和對偶制不同的地方，就在於婚姻關係要牢固得多，這種關係現在已不能由雙方任意解除了。這時通例只有丈夫可以解除婚姻關係，趕走他的妻子。對婚姻不忠的權利，這時至少仍然有習俗保證丈夫享有；而且隨著社會的進一步發展，這種權利也行使得越來越廣泛；如果妻子回想起昔日的性的實踐而想加以恢復時，她就要受到比過去任何時候都更嚴厲的懲罰。

（節選自恩格斯著，中共中央馬恩列斯著作編譯局譯《家庭、私有制和國家的起源》）

編選說明 ●●●

《家庭、私有制和國家的起源》是恩格斯的一部關於古代社會發展規律和國家起源的著作，是馬克思主義國家學說代表作之一。

在本書中，恩格斯根據大量史料，闡述了原始社會的基本特徵。分析了原始社會解體的過程和私有制、階級的產生，揭示了國家的起

源、階級本質及發展和消亡的規律。指出國家和階級、私有制一樣，不是從來就有的，而是在經濟發展的一定階段上產生的。在所選文字中，恩格斯著重論述了人類早期的婚姻和從原始狀態中發展出來的幾種家庭形式，指出一夫一妻制家庭的產生和最後勝利乃是文明時代開始的標誌之一。本書是恩格斯運用唯物史觀研究國家的重要成果，它科學地闡明了家庭、私有制、階級的起源與國家產生的關係，極大地豐富了馬克思主義的政治學說。

吉本
基督教成長的原因

　　我們的好奇心很自然地被引向對這樣一個問題的探索，即基督教的信仰究竟通過什麼手段，對世界上所有已確立的宗教取得這樣非凡的勝利。對於這個問題，可以提出一個簡明而又滿意的答案：這就是把它歸因於基督教教義本身令人信服的明驗，以及其偉大創造者支配一切的天命。然而真理和理性在世界上鮮有如此順利地為人所接受，而上帝的智慧也時時俯身以凡人的情慾和屬於人類的常情常事，作為其執行意旨的工具。因此我們雖須恭順唯謹，不許輕問基督教教會迅速成長的原始原因，但還可以就其次要的原因，進行探索。看來事情大概是這樣，基督教教會的成長，曾經受到下列五個原因最有力的支持和幫助：1.基督徒的不屈不撓的熱忱，這種熱忱固然是從猶太教得來，但已清除了那種阻礙而非誘導異族接受摩西律法的狹隘孤僻的精神。2.來生教義這一重要的真理，由於每次都能增益其影響和效驗的新的情況而得到進展。3.為人們所傳道的原始基督教教會的神奇法力。4.基督徒純樸嚴謹的品德。5.基督教內部的團結和紀律——它在羅馬帝國中心逐漸成為一個獨立而日益擴大的國家。

　　正是依賴這些原因：即專一的熱忱，對另一世界的迫切期望，對神跡的確認，嚴格的德行的實踐，以及原始教會的體制，基督教才獲得在羅馬帝國內如此成功地發展起來。由於第一個原因，基督徒獲得

了他們的不可戰勝的力量，他們決心征服敵人而不屑投降。其次一個原因，給他們的力量提供了最不可侮的武器。最後一個原因，則集結他們的勇氣，指揮他們的武力，並給他們的努力以一種不可抵抗的力量，這就是一小隊訓練優良而勇猛的志願兵，常常據以壓倒未受訓練的、既不知戰鬥的主題也不注意戰鬥結果的烏合之眾的那種力量。在信仰多神的各種宗教中，埃及和敘利亞的狂熱的遊方教士，宣傳群眾容易輕信的迷信，恐怕是從僧侶職業取得全部生活與聲名的唯一僧團；他們所親切關懷的，是自己保護神的安全和昌盛。至於羅馬和各省的多神教教士，絕大多數是出身貴族，富有資歷，他們把接受著名神廟或公眾獻祭的恩惠，當做一種光榮，常常自己出錢舉行祭神的賽會，而以冷淡漠然的態度，按照國家的法律和風尚，遵行古老的宗教儀式。由於他們是從事於生活中的普通職業，他們的熱忱和虔敬很少為利益感或屬於教規性質的習慣所激發。他們局限於各自的神廟和城市，一直沒有共同的教義或組織，只要他們承認元老院、大司祭團以及皇帝的最高統治權，那些行政長官就滿足於這樣輕而易舉的任務，即在和平與尊嚴中維持人們通常的宗教崇拜，我們已經知道，多神論者的宗教感是怎樣地不同，怎樣地鬆弛，怎樣地無定。他們差不多無節制地委之於一種迷信的幻想，聽其自然。他們生活和職業中的偶然情況，決定他們虔敬的目標和程度。而當他們繼續不懈地對千神百怪濫加崇信的時候，要他們的心裏對其中某一個神有很誠篤而堅信的感情，那是簡直不可能的。

　　異端世界的懷疑風氣，確實有利於基督教發展。常人對信仰的需要是這樣的迫切，因之任何一種神話體系瓦解了，接著很可能就是其

它形式迷信的傳入。某些最新的合時的神祇就會很快地佔據那些被遺棄的朱霹特和阿波羅的神廟。在人們的實際傾向中，當許多人接近從他們的虛假的偏見中解脫出來、但仍然同樣地易於感受並需要一種虔敬歸宿的時候，即使是一個很不配稱的東西，也足以填塞他們心裏的空虛，滿足他們情緒上的捉摸不定的渴望。凡願從上述意見進行探究的人，就不會因基督教的迅速成長而感到驚異，也許可驚異的倒是：它沒有更加迅速、更加普遍地發展起來。

　　羅馬帝國的和平與統一，也有利於基督教傳播。關於基督行動的真實歷史，是在距耶路撒冷很遠的地方和在外邦人信教人數大量增加以後，用希臘語編寫的。這些歷史一經譯成拉丁語，就為羅馬全體臣民所完全瞭解。為供羅馬軍團之用的公路，也為基督教傳教士開闢了便利的通道，從大馬色到哥林多，從意大利到極邊遠的西班牙或不列顛，那些靈魂的征服者，從未遇到過那種通常阻滯外國宗教傳入異邦的任何障礙。基督的信仰已在帝國各省和所有的大城市中傳佈開來。（節選自吉本《羅馬帝國衰亡史》，席代嶽譯《羅馬帝國衰亡史》，吉林出版集團有限責任公司 2008 年版）

編選說明 ● ● ●

　　愛德華・吉本（1737—1794），是 18 世紀英國最偉大的歷史學家，他運用淵博的學識素養和啟蒙時代的哲學理念，寫出英國最重要的一部歷史巨著—《羅馬帝國衰亡史》。《羅馬帝國衰亡史》全書共

六卷，上下縱橫一千三百年，系統地敘述了羅馬帝國從公元 2 世紀到
1453 年君士坦丁堡陷落的衰亡歷史。此書有三大重點內容：一是關
於羅馬帝國的政治經濟、軍事文化與社會生活，帝國擴張與防衛、內
部元老院和皇帝的權力拔河記述；二是關於蠻族入侵與其間之重大戰
爭描述；三是基督教的發展，政教之爭，回教興起和十字軍東征等探
討。《羅馬帝國衰亡史》出版後傳頌百年迄今不衰，其文學光彩與史
學成就同樣為後人稱頌。

喬治・格羅特

伯里克利司法制度改革

　　這時，伯里克利和厄菲阿爾特便實行其關於司法改革的重大計劃：阿雷奧帕古斯元老院被剝奪了專橫無忌的監察權和所有的司法權，只保留審判兇殺案的權力。各個行政長官，以及五百人大會，也同樣被剝奪了司法職能，只保留判處小額罰金的權力。司法權轉歸那新成立的、由國家支付酬金的陪審團掌握。陪審員是用抽籤的辦法從人數眾多的公民法庭中產生出來的，他們分別組成十個陪審團。厄菲阿爾特第一次把梭倫所制定的法律從雅典衛城中拿下來，將之樹立在市場附近，陪審法庭進行審判的地方——這是一個最生動的例子，說明這時司法權已經民主化了。

　　有許多歷史家在論述這件事的時候，對於這一偉大的憲法改革的實際意義，是理解得很不夠的。他們只是千篇一律，說伯里克利第一次使雅典人數眾多的陪審員享有酬金。普臺塔克說，客蒙是用他自己腰包裏的錢來賄賂人民，而伯里克利是用公家的錢來賄賂人民，為的是要把客蒙壓下去。按照這種說法，好像這次改革的主要之點就在於給酬，而伯里克利所做的一切，不過是使過去不受酬而履行司法服務的陪審員享有酬金，藉此博得人們的擁戴。真實的情況是：從這時起，才破天荒第一次把人數眾多的陪審員組織起來，分配在十個陪審團中，有次序地在全年中應召執行任務，所以他們受酬的開始，也就

是他們執行正常司法任務的開始。伯里克利真正的功績，在於第一次把行政長官的行政權和他們從前所一向連帶享有的司法權分開。那些經常身居要職的大人物，其權力和威勢都降低了。而在另一方面，在貧苦的公民中，卻滋長著一種新的生活觀念，新的風氣、新的權力意識。這時，如果任何原告人有什麼民事訟案，或者任何控訴人要使對其本人或對國家犯了罪的公民受到懲罰，他雖然還得向這一個或那一個執政官提出訴訟，不過這樣做的目的，僅僅是為了最後可以把訟案提到陪審法庭上去，由陪審法庭來進行審判。於是，各個行政長官的權力，就只限於辦理行政事務和司法預審，而他們在任職期滿以後轉任阿雷奧帕古斯元老院議員時，其權力就被削減得更厲害了。從前，元老院議員享有廣泛無邊的監察權和干涉權，而現在，他們被剝奪了所有的司法權，只繼續享有那種仍然保留給各個行政長官和五百人大會的判處小額罰金的權力。然而兇殺案的審判權仍舊明確地保留給元老院，因為審判這類案件，其意義不僅是司法的，而且是宗教的，自古即被視為神聖，積習之深，沒有哪個改革家敢於觸動或改變。

與伯里克利所實現的重大司法變革相併行，另外還進行了一些其它屬於同樣性質的改革。改革之一是把監督行政長官和監督公民大會的權力都交給七名被稱為護法官的高級官員。這種護法官還是第一次設立，每年更換。當元老院或公民大會開會時，護法官便坐在主席旁邊，遇有任何措施或任何提案與現行法律不合，他們就有進行干涉的責任。他們也有權干涉行政長官，限定其只能按照法律行事。

另外有一項重大的改革，可能也是伯里克利倡議的，那便是設立一種法製法庭。法製法庭的成員事實上就是陪審員，亦即每年宣誓擔

任此職的六千名公民中的成員。但他們卻不像陪審員那樣被分配到各個陪審團裏去，也不終年到頭在一起審理案件。只有在特定的時機或遇有必要時，他們才用抽籤的辦法抽定，在一起開庭。按照當時所實行的改革法案，公民大會即使得到五百人大會的許可也無權制定任何新的法律，或廢止任何已經存在的法律。公民大會只能制定「法案」——儘管這個字在雅典也有廣義的解釋，有時包括通用的和只有永久性的法令，但嚴格說來，它是專指那種僅僅適用於某一特殊事件的法令。法製法庭的作用，是把法律的制定或廢止變得像司法中的審判訟案一樣，使之同樣具有莊嚴隆重、穩當可靠的性質。

　　為了進一步防止公民大會和法製法庭受人蠱惑而作出與現行法律相反的決定，於是另外又制定了一項重要的法規，這便是違憲立法起訴制——即對非法或不合程序的立法提出訴訟——這就是讓人們得根據一定的理由，對任何一個提出新法律或新法案的人提出訴訟，使其受到陪審法庭的處罰。

（節選自喬治·格羅特著，郭聖銘譯《希臘史》，商務印書館 1980 年版）

編選説明 ● ● ●

　　喬治·格羅特（1794—1871），19 世紀英國資產階級史學家。《希臘史》分十二卷，從 1846 年第一卷的出版，到 1856 年第十二卷的出版，整整歷時十年，敘述了自傳説時期到馬其頓王亞歷山大大帝之世的希臘歷史。這裏所選的是格羅特《希臘史》中第四十六章一

「伯里克利時代雅典憲政和司法制度的變革」，最足以代表全書的精神。在這一章中，他對雅典的奴隸主民主製作了熱情的歌頌，而對僭主政治和寡頭政治作了有力的鞭撻。他生動地描繪了伯里克利時代雅典憲政和司法制度的變革，用以影射 19 世紀中期英國的政治，要求實現民主改革。

米涅

法國大革命的發生及意義

　　當改革已勢在必行，實行改革的時機又已成熟時，就什麼也不能加以阻擋了，一切事物都將促成改革的到來。假如人們能互相諒解，假如一些人肯於把過多的東西讓給別人，另一些人則雖然匱乏而能知足，那麼人們就會是非常幸福的；歷次革命就會在和睦友好的氣氛中進行；歷史學家也就沒有什麼過激行為和不幸事件可以回顧，只要指出人類比以前更為理智、自由和富足就行了。但是，迄今為止，各民族的編年史上還沒有過這樣的先例：在牽涉到犧牲切身利益時還能保持明智的態度。應當作出犧牲的人總是不肯犧牲，要別人作出犧牲的人總是強迫人家犧牲。好事和壞事一樣，也是要通過篡奪的辦法和暴力才能完成。除了暴力之外，還未曾有過其它有效的手段。

　　在回顧從召開三級會議到 1814 年這一重要時期的歷史時，我想在敘述革命的過程中同時說明革命的各種各樣危機。我們將看到，是誰的過錯使革命在大好形勢下開始後，又急轉直下走下坡路，革命是怎樣把法國變成共和國的，而在共和國的廢墟上又是怎樣建立起帝國的。這幾個階段幾乎都是不可避免的，造成這幾個階段的一些事件，就是有那麼一股不可抗拒的力量。

　　革命就這樣發生了。宮廷曾企圖加以阻止，嗣後又企圖加以撲滅，但都無濟於事。在美爾帕的引導之下，國王任命了幾個出身平民

的大臣，試行了某些改革；在王後的影響下，他又任命了一些宮廷貴族當大臣，作了某種樹立國王權威的嘗試。但是，高壓沒有奏效，改革也同樣無法實施。當國王在節約開支方面倚靠宮廷，在稅收方而倚靠高等法院以及在發行公債方面倚靠資本家全部落空以後，他只好尋找新的納稅人，向特權等級求援。他要求那些有勢力的貴族和僧侶參與國事，但遭到拒絕。這時候，他才開始轉向全體國民，於是召開了三級會議。國王遇事先同宮廷內臣商議，然後同國民商議，只是在受到前者的拒絕時，才向國民發出呼籲，因為他對於國民的參與和支持懷有疑慮。他寧願召開一些孤立無助因而力量薄弱的特別會議，而不喜歡召開代表各方面利益因而力量集中的全體會議。直到這個重大時期為止，政府的需求年年增加，反抗的勢力年年擴大。反對派由高等法院波及貴族，由貴族而僧侶，以至通過此三者而及於全體國民。這些階層不管是哪一個，只要是王朝政府一向他們徵詢意見就開始表示反對，後來所有這些反對力量都同全國的反對勢力合流，或者在全國的反對面前沉默無言。三級會議只不過是將業已成熟的革命公佈於世而已。

　　法國革命，如同英國革命開創了新政體的紀元那樣，在歐洲開創了新社會的紀元。法國革命不但改換了政權，而且也改變了整個國家的內部生活。當時，中古時代的社會形態依然存在。國土分割成了互相敵對的一些省份；人們分屬於敵對的階級。貴族雖然還保留著爵位，但已失去了全部權力；人民毫無權利；王權則毫無限制。由於權臣橫行，由於種種特殊的制度和各個集團特權的存在，法國陷於一片混亂之中。革命改變了這一無法無天的局面，建立了一個公道的並更

合乎時代精神的秩序。革命以法律代替了專橫跋扈，以平等代替了特權：革命使人們擺脫了階級的區分，使國土消除了省份之間的壁壘，使工業不再受行會和行會監督的限制，使農業擺脫了封建領屬關係，免除了什一稅的重壓，財產不再容許任意指定預備繼承人，革命把一切都復歸於一個等級、一個法律、一個民族。

　　為了進行這樣巨大的改革，革命要克服許多阻力，因此在它帶來的長遠利益之外，也曾有過一些暫時的過激行動。特權等級曾想壓製革命；歐洲也曾試圖阻止它；而在它被迫進行鬥爭時，它既未能量力而行，也未能在取得勝利時適可而止。內部的反抗，導致了人民大眾的最高主權；而外來的侵略，則導致了軍事統治。儘管產生了無政府狀態，儘管產生了專制主義，但目的是達到了：在革命的過程中舊社會被摧毀了，在帝國時期建立了新社會。

（節選自米涅著，北京編譯社譯《法國革命史》，商務印書館 1977 年版）

編選說明 ● ● ●

　　作者米涅，全名為弗朗索瓦‧奧古斯特‧瑪利‧米涅（1796—1884），出生於法國普羅文斯省的一個鎖匠家庭，從中學時代就對歷史有濃厚興趣，在大學時攻讀法律，並獲律師資格。史法結合，使他的學術研究具有思想縝密邏輯嚴謹的特點。在進行學術研究的同時，米涅熱情投身反抗波旁王朝復辟的鬥爭，並曾親自參加街壘戰鬥。他撰寫的《法國革命史》實際上矛頭指向復辟王朝，鼓舞人民再度奮進

反抗封建貴族的復辟行徑。由於《法國革命史》出版距法國革命的完全結束（以 1814 年拿破崙帝國滅亡為標誌）僅 10 年，人們記憶猶新，因此在法國史學界備受重視，特別是米涅為寫作本書用了兩年時間收集資料，訪問許多革命的參與者和活動家，使這部書具有更大的權威性。

　　1789 年爆發的法國大革命是一次典型的資產階級革命。在這次革命中，法國人民在巴黎舉行起義，攻佔了巴士底獄，全國城鄉也相繼燃起革命的烽火，最終推翻波旁王朝，廢除封建特權，處死國王和宣佈成立共和國。新興的資產階級由於握有雄厚的經濟實力和啟蒙運動的思想武器，取得了革命的領導權，建立了資產階級的專政。在雅各賓專政時期，革命發展到它的頂峰，後來拿破崙又有力地維護資產階級所取得的主要勝利成果，並進一步鞏固和發展了某些成果。拿破崙帝國是法國革命的最後階段。在法國資產階級革命的影響下，比利時、西班牙、意大利和葡萄牙發生了資產階級革命，拉丁美洲爆發了爭取民族獨立的革命戰爭。歐洲的封建制度受到了致命的打擊，處於風雨飄搖之中。這次革命有著深遠的歷史意義。

摩爾根
●●●

人類起源的統一性

　　發明及發現，在人類進步的途程上處於平行的並列關係，而記錄人類進步的各連續的階段。同時，社會上及政治上的諸制度，因為它們和人類的永恆的欲望相關聯的緣故，都是由一些原始的思想胚胎發展而來的，所以它們也顯示著人類進步的一種同樣的記錄。這些制度、發明以及發現，都體現著並且保存著以上所述的經驗而現在還存留著的事實之主要的例證。當將這些事實予以綜合及比較後，便傾向於證明人類起源之一致、在同一進步階段中的人類欲望之相似、以及在相同的社會狀態中人類心理作用之一致等。

　　從野蠻時代的後期至開化時代的全部，人類一般的都組織成為氏族、胞族及部落。這些制度流行於全部古代世界的名大陸之中，是古代社會由之而組織和結合的工具。這些制度的結構，和當做有機系列中的成分而具有的關係，以及作為氏族、胞族、部落中的成員而保有的權利、特權、義務等，都是解釋人類心靈中政治觀念發展的例證。人類中的各主要制度，都發生於野蠻時代、發展於開化時代、而成熟於文明時代。

　　同樣，家族制也是經過了各連續的形式，而產生出今日尚存留的各大親屬制度。這些親屬制度，在其各自形成的時期中，都記錄了存在於這些時期中家族內的親屬關係，它們包含著當家族制從血緣形態

經過中間形態而進入到單偶形態時期中人類經驗之說明性的記錄。

　　財產的觀念也是經過了與以上相類似的生長及發展過程的。對於作為積纍的生活資料之代表物的財產佔有欲的熱望，從在野蠻時代的零點出發，現在則變成為支配著文明種族的心靈的主要的熱望了。

　　以上所指出的四類事實，它們在人類從野蠻到開化到文明的進步過程中是與之相平行發展的。人類的起源只有一個，人類的發展進程基本上也是相同，只是在各大陸上採取了不同的但是一致的進程，所以在達到同等進步狀態的一切部落及民族中都是極其相類似的。因此，美洲印第安人諸部落的歷史及經驗，或多或少地代表處於與他們相應狀態的我們遠祖的歷史及經驗。構成人類記錄之一部分的美洲印第安人的制度、技術、發明以及實際上的經驗，實具有超越印第安人種族本身界限的一種特殊的高超價值。

　　當美洲印第安人部落被發現之時，他們代表著三種不同的文化上的時期，並且較當時地球上其它任何地方所代表的更為完全。他們所提供的民族學上、言語學上以及考古學上的資料，其豐富是無與比倫的。

　　人類的一部分大約在五千多年以前達到了文明之域，這一成就必須視為是一種奇跡。嚴格言之，只有閃族及雅利安族是未假外力而由自力的發展來完成這一大業的。雅利安族是代表人類進步的主流的，因為它產生了人類的最高的典型，因為它逐漸地取得了世界的控制權而顯示出其固有的優越性。但是，文明則必須視為是由環境而產生出來的一種偶發的事象。在某一時期中必定是要達到文明的，這是肯定的；但是，文明能在其完成的時期中而完成，這依然是一種非常的

事。在野蠻時代中阻止人類進展的障礙是極大的，並且是經過了困難才加以超越的。當人類到達開化中級狀態以後，文明是否能達到則懸而未決，而同時，開化人卻正在借著自然金屬的實驗，探索達到鐵礦鎔解技術的途徑。在不知道鐵及其使用的時候，要想進到文明時代則是不可能的事情。如果人類迄至現時尚未突破這一障礙，我們也用不著作為驚異的正當理由。當我們認識到人類存在於地球上時期之長久，當我們認識到人類在經過野蠻時代及開化時代所經歷的變遷之廣泛，以及我們認識到人類被迫所作的進步時，文明的獲得也可能一樣延緩至數千年以後的將來，亦是很自然的現象，有如上帝造物時所預先安排它出現的時期一樣。所以，我們就不得不作出以下的結論，即文明在其被成就的時候，乃係一系列偶然情況所造成的結果。這也可以使我們追懷到我們的現狀，與其多種的安全與幸福的設備，是我們開化的祖先，更遠一些是我們野蠻的祖先的奮鬥、苦難、英勇的努力以及忍耐的勞作而得來的結果。但是，我們要知道，他們的勞動，他們的苦難，以及他們的成功，都是「最高理智」要使一野蠻人發展成為一開化人，而使這一開化人發展成為一文明人的計劃的一部分。

（節選自摩爾根著，楊東蓴等譯《古代社會》，江蘇教育出版社 2005年版）

編選說明 ●●●

作者路易士·亨利·摩爾根（1818—1881），是西方人類學的創

始人之一和馬克思主義人類學的先驅。他的代表作《古代社會》是以
進化論思想為指導,通過幾十年的調查研究寫出的一部綜合性的人類
學著作,也是學術史上第一部用人類學材料寫成的原始社會發展史。
摩爾根關於人類早期歷史的研究和他關於母系社會先於父系社會的科
學論斷,使他在全世界享有崇高的聲譽,他的《古代社會》已成為人
類史前史研究的經典著作。

布克哈特

●●●

意大利人文主義的興起與衰落

　　自 14 世紀以來，在意大利生活中就佔有如此強有力地位的希臘和羅馬的文化，是被當做文化的源泉和基礎，生存的目的和理想，以及一部分也是公然反對以前傾向的一種反衝力，這種文化很久以來就對中世紀的歐洲發生著部分的影響，甚至越過了意大利的境界。

　　古典文化的復興在意大利採取了一種和北歐不同的形式。在歐洲的其它地方，人們有意地和經過考慮地來借鑒古典文化的某種成分，而在意大利則無論有學問的人或一般人民，他們的感情都自然而然地投向了整個古典文化那一方面去。他們認為這是偉大的過去的象徵。這種趨勢加上其它成分，大大改變了人民的性格、政治制度、騎士制度和其它北方的文明形式、宗教和教會的影響──合在一起產生了注定要成為整個西方世界的典範和理想的近代意大利精神。

　　那麼，是誰使他們自己的時代和一個可尊敬的古代調和起來，並使後者在前者的文化當中成為一個主要成分呢？

　　他們是一群最複雜的形形色色的人物，今天具有這樣一副面貌，明天又換了另外一副面貌。但他們清楚地感覺到，他們在社會上形成了一個全新的因素，這也是為他們的時代所完全承認的。12 世紀的「流浪教士」，或者可以被認為是他們的先驅──他們有同樣的不安定的生活，同樣的對於人生的自由的和超乎自由的看法，而且無論如

何在他們的詩歌中，也有同樣的異教傾向的萌芽。但是這時，出現了一種在中世紀的另一面建立起它自己的基礎的新文明，它成為基本上是屬於神職人員的和為教會所哺育的中世紀的整個文化的競爭者。它的積極的代表者成了有影響的人物，因為他們知道古人所知道的，因為他們試圖像古人曾經寫作過那樣地來寫作，因為他們像古人曾經思索過或感受過那樣地開始思索並欣然感受，他們所崇幸的那個傳統在各方面都進入了真正的再生。

　　這樣世界上就有了一個新的事業和一群新的人物來支持人文主義。要問這個事業是不是應該在它成功的道路上適可而止，是不是應該有意地限制它自己，並把首要的地位讓給純民族的文化成分都是無用的。在人民的思想中，沒有一種信念比這個再根深蒂固的了，即相信古典文化是意大利所擁有的能使它獲得光榮的一項最高貴的事業。

　　自 14 世紀開始以來，詩人學者的陸續輩出、先後輝映，使得意大利和整個世界充滿了對於古代的崇拜，決定了教育和文化的形式，始終在政治事務上處於領導地位並在不小的程度上再造了古代文學。但終於在 16 世紀裏，在他們的理論和學術不能再掌握群眾心理以前，這整個階層就已普遍而深深地遭到貶黜。雖然他們仍然是詩人、歷史學家和講演家的模範，但就個人來說，則誰也不同意自己被認為是他們當中的一員。指責他們的理由主要有兩點，一是敵視一切的自高自大，一是惹人憎惡的放蕩不羈，此外，還有第三條，那就是新興的反宗教改革的勢力大肆喧嚷給他們加上的輕視宗教的罪名。

　　或許有人問，這些責難正確與否且不管，但為什麼早沒有聽到呢彝事實上在很早的一個時期以前就已經聽到了，不過它們所產生的影

響不是那麼顯著而已。

　　首先進行這些攻擊的自然是人文主義者自己。在所有形成一個階層的人們當中，他們是最沒有共同利益感，並且也是最不尊重關於共同利益感的一切的。如果他們之中的一個人看到了有一個取代另外一個人的機會，採取一切手段就都被認為是合法的。他們從文學問題的討論可以突然使人驚訝地轉為最兇惡的和最沒有理由的謾罵。他們不甘於遭人家反駁，於是就想要消滅對方。

　　約在 16 世紀中葉，人文主義者從他們指揮一切的地位被趕入其它領域，遭到了反宗教改革的人們的側目而視，失去了對於這些學會的控制，而在這裏，像在別的地方一樣，拉丁文詩歌已為意大利文詩歌所代替。不久，最不重要的城市也有了它的學會，起著稀奇古怪的名字，並且有它自己的財產和捐款。除了詩歌朗誦外，這些新的組織從他們以前的學會繼承了按時舉行宴會和上演戲劇的習慣。這些戲劇有時由會員本人，有時在他們指導之下由青年業餘愛好者上演，有時也由雇來的演員上演。意大利戲劇和以後的歌劇的命運，很長一個時期被掌握在這些學會的手裏。

　　（節選自布克哈特著，何新譯《意大利文藝復興時期的文化》，商務
印書館 1781 年版）

編選說明 ● ● ●

　　布克哈特（1818—1897），出生於瑞士巴塞爾城一個有聲望的家

族。1839—1843 年，他留學德國，曾在德國學派史學大師朗克的研究班中受到處理史料方法的嚴格訓練。他回到瑞士後，即在巴塞爾大學任教。

　　布克哈特的著作很多。他早年的著作主要在文化史、美術史方面。1860 年出版了他的最著名的著作《意大利文藝復興時期的文化》。書出後，立即得到歐洲歷史學界的重視，學界一致公認這是直到當時為止關於文藝復興的最重要的著作。作者把意大利自 13 世紀後期到 16 世紀中期三百年間的文化發展分成《作為一種藝術工作的國家》《個人的發展》等六篇。此處文字摘錄自第三篇《古典文化的復興》。在這些文字中，作者概述了意大利古典文化在 14 至 16 世紀從復興到衰落的過程。他提出：征服西方世界的不單純是古典文化的復興，而是這種復興與意大利精神的結合；政治的衰敗和道德的墮落則是人文主義衰落的主因。這些觀點值得深思。

福澤諭吉

日本文明的來源

　　西洋文明的特點在於對人與人的交往問題看法不一，而且各種看法互相對立，互不協調。例如，有主張政治專權的，有主張宗教專權的，有的主張君主政治，有的主張神權政府，有的主張貴族執政，有的主張民主政治等等，眾說紛紜，莫衷一是，自由爭辯，勝負難分。由於長期形成對峙局面，即使彼此不服，也不得不同時並存。既然同時並存，即便是互相敵對的，也不得不在互相瞭解對方的情況下，允許對方的活動。由於自己不能壟斷一切，又不得不允許對方的活動，於是便各持其說，各行其是，為文明進步盡一份力量，最後將融為一體。這就是產生「民主自由」的原因。

　　日本自建國以來二千五百餘年間，政府的所作所為，完全是同樣事情的重複。這就好像多次誦讀同一版本的書，或多次表演同一齣戲劇一樣。新井氏所謂天下大勢的九次變遷，或五次變遷，只不過是一齣戲上演了九場，或上演了五場罷了。

　　某一西洋人的著作裏曾經說：亞洲各國也有騷亂和變革，其情況無異於歐洲，但並未因這些變亂而促進國家文明的進步。這種說法，未嘗沒有道理（政府雖有新舊交替，但國內局勢仍原封未動）。

　　中國的戰爭只是武士與武士之間的戰爭，而不是人民與人民之間的戰爭；是一家與另一家之間的戰爭，而不是國家與國家之間的戰

爭。因此在兩家武士作戰時，人民只是袖手旁觀，不管是敵方還是我方，誰強大就畏懼誰。所以，在戰爭時期，隨著風色的轉變，也許昨天還給我方輸送輜重的人，今天就要去替敵方運送軍糧。在勝負已定戰爭結束時，人民也只看到戰亂平息莊頭更換，既不以勝為榮，也不以敗為辱，人民所感激和歡迎的只是新莊頭放寬政令，減少田賦。

宗教是支配人類心靈的東西，本來應該是自由最獨立絲毫不受他人控制、絲毫不仰賴他人力量而超然獨存的。但是，在我們日本則不然。自古以來，構成日本文明的一部分的宗教，只有一個佛教。但是，佛教從一開始就站到統治者的一邊，並依靠了他們的力量。自古以來日本雖然出現了不少所謂名僧，有的到中國取經，有的在國內創立新派，建立佛寺，教化人民，但大部分都是想博得天子或將軍的恩寵。因此，日本自古以來雖有宗教，但沒聽說有過獨立的教權。僧侶是政府的奴隸，也可以說日本全國根本就沒有宗教。

把中國人民從野蠻世界中拯救出來，而引導到今天這樣的文明境界，這不能不歸功於佛教和儒學。尤其是近世以來儒學逐漸昌盛，排除了世俗神佛的荒謬之說，掃除了人們的迷信，其功績的確很大。從這方面來說，儒學也是相當有力的。學術在西洋各國是從一般人民中產生的，而在日本是從政府中產生的。這點有所不同。西洋各國的學術是學者的事業，在學術的推廣上，並無公私之別，而只是在學者的社會中；然而中國的學術，卻是屬於所謂統治者社會的學術，彷彿是政府的一部分。

政府的專制是怎樣來的呢？即使在政府的本質裏本來就存在著專制的因素，但促進這個因素的發展並加以粉飾的，難道不是會儒者的

學術嗎彝自古以來，日本的儒者中，最有才智和最能幹的人物，就是最巧於玩弄權柄和最為政府所重用的人。在這一點上，可以說漢儒是老師，而政府是門人，真是可悲。今天的日本人民，有誰不是人類的子孫呢彝在今天的社會上，──方面實行專制，一方面受到專制的壓迫，這不能完全歸咎於現代人，而是從由於多少代祖先傳留下來的遺毒。助長這種遺毒傳播的又是誰呢？漢儒先生們的確起了很大作用。

　　如果以物作比喻，西洋人的權力就像鐵，既難使它膨脹，也難使它收縮。而日本武人的權利，則好像橡膠，其膨脹的情形隨著接觸物的不同而不同。對下則大肆膨脹，對上則立時收縮。把這種偏輕和偏重的權力，集成一個整體，就叫做武人的威風，遭受這個整體壓迫的，就是孤苦無告的小民。為小民著想固然可憐，但從武人集團來說，卻不得不說這是上自大將下至雜役僮僕的共同利益。不僅是求得了共同利益，而且還似乎保持了上下關係的整齊和秩序。

　　（選自福澤諭吉著，北京編譯社譯《文明論概略》，商務印書館1982年版）

編選說明 ● ● ●

　　福澤諭吉（1834—1901）是日本近代的重要啟蒙思想家。他出生於德川末期下級武士家庭、身受封建壓迫，深刻體會到封建制度的腐朽；同時，他又目擊當時日本在列強的環伺欺凌之下，國家獨立受到嚴重威脅。在內憂外患的處境裏，福澤諭吉立志與封建體製作鬥

爭，並以謀求國家獨立富強為己任。他早歲遊歷歐美，受近代科學和西方資產階級自由民主思想的影響很深，回國以後，他極力介紹西方國家的狀況，傳播自由平等之說，以宣導民權，促進「文明開化」，並鼓勵日本人學習科學，興辦企業，發揚獨立自主的精神，以爭取日本民族的獨立。福澤諭吉畢生從事教育和著述工作，對於日本資本主義的發展和資產階級民主運動起到了巨大的推動作用。

　　福澤諭吉的著作很多，共有六十餘種。《文明論概略》和《勸學篇》是他的兩部代表性著作。在《文明論概略》一書中，福澤諭吉提出，日本的文明主要來源於西洋文明、中國儒學和印度佛教，這種來源既有利於日本文明的發展，也造成了日本文明的某些弊端。這部著作入木三分地剖析了日本封建遺毒之現狀、成因和後果，出版後在日本引起了轟動，並很快從知識界走向社會，成為影響日本文明的一部力作。

奧斯維德‧斯賓格勒

西方文明的沒落

　　歷史是不是有邏輯呢？在各種事件的一切偶然的和無法核計的因素以外，是不是還有一種我們可以稱之為歷史的人類的形而上的結構的東西，一種本質上不依賴於我們看得非常清楚的社會的、精神的和政治的外表形式的東西呢疑這種種現實是不是僅是次要的，從上述那種東西引申出來的呢疑世界歷史中是不是經常有某些重大的特徵一再出現在我們眼前，使我們可以得出某些正確的結論呢？如果是這樣，從這類前提出發所作的推論，又能達到什麼限度呢？

　　我們能不能在生活本身中找出一系列必須經歷的並且按照一定必要的順序去經歷的階段來呢疑因為人類歷史原本就是一些強大的生活歷程的總和，而出於對「古典文化」或「中國文化」「現代文明」之類的高級實體的證實，在習慣的想法和說法中，這些生活歷程已不能不具有自我和人格的色彩了。對於每一有機體說來，生、死、老、少、終生等概念是帶有根本性的；在生活本身方面，這些概念是不是也有嚴肅的意義，至今還沒有被人抽取出來呢疑總之，全部歷史是不是奠基在一般傳記性原型之上的呢疑

　　西方的沒落，乍看起來，好似跟相應的古典文化的沒落一樣。是一種在時間方面和空間方面都有限度的現象；但是現在我們認為它是一個哲學問題，從它的全部重大意義來理解，它本身就包含有關存在

的每一重大問題。

　　每種文化都有它自己的文明。文化和文明這兩個詞一直是用來表達一種不確定的、多少帶有一點倫理意義的區別的，在這本書裏是第一次當做一種周期性的意義來用，用以表達一種嚴格的和必然的有機連續關係。文明是文化的不可避免的歸宿，根據這一原則，我們得出一種看法，使歷史形態的最深刻和最重大的問題可能獲得解決。文明是一種發展了的人類所能做到的最表面和最人為的狀態。它們是一種結束，已成的跟隨著方成的，死跟隨著生，僵硬跟隨著擴展，理智時期和石建的、石化中的世界城市跟隨著大地和多立斯時期、哥特時期的精神上的童年。它們是一種終結，不可挽回，但因內在的需要，再被達到。

　　這樣，我們就第一次懂得了為什麼羅馬人是希臘人的後繼者，從而古典晚期的埋藏得最深的秘密也就第一次得到了說明。關於羅馬人是未曾開啟一種偉大發展、反而結束了這種發展的野蠻人這一事實的意義，除此以外，還能有什麼呢？辯駁這種意義，不過空話連篇而已。他們是非精神的，非哲學的，缺乏藝術，褊狹到了殘暴的境地，殘酷地貪圖實在的勝利，他們處在希臘文化和一無所有之間。他們那種純粹面向實際目標的想像力——他們有著規定人對神的關係的宗教法，猶如他們有著規定人對人的關係的其它法律。但是羅馬沒有特別關於神的傳奇——這種情況在雅典是完全找不到的。一句話，希臘的心靈——羅馬的才智，這一對照就是文化與文明的區別因素。它不只運用於古典文化。這種精神旺盛的、完全非形而上學的人類一再出現，這類人掌握了一切「晚」期的理智的和物質的命運。巴比倫文

明、埃及文明、印度文明、中國文明、羅馬文明就是由這樣的人貫徹的、佛教、斯多噶主義、社會主義就是在這樣的時期成熟，成為明確的世界概念，對一個瀕死的人類從其結構深處加以打擊，加以改組的。作為一種歷史進程，純粹的文明就是要不斷地摧毀那些業已變成無機的或僵死的形式。

從文化到文明的過渡，在古典世界是公元前 4 世紀時完成的，在西方世界是 19 世紀時完成的。從此以後，偉大的才智上的決定就不像奧缶斯運動或宗教改革運動時期那樣在「全世界」範圍發生，而只在三四個世界城市中發生了；這些世界城市把歷史的全部內容都吸收過去，而文化的古老的廣闊景色則變成了純粹地方性的。只起到一種把自己的高級人類所殘留的東西拿去供養城市的作用。

世界城市和行省——每種文明的兩個基本觀點——帶來了一個全新的歷史形式問題，我們今天面對著這個問題，可是對於它的巨大無邊幾乎一無所知。代替一個世界的，是一座城市，一個點，廣大地區的全部生活都集中在它身上。其餘的地方則枯竭了。代替典型的，土生土長民族的，是一種在流動狀態中不穩定地凝聚著的新的游牧民族，即寄生的城市居民，他們沒有傳統，絕對只顧事實，沒有宗教，機智，不結果實，非常看不起鄉下人，尤其看不起那種高級的鄉下人、鄉紳。這是走向無機、走向結局所跨出的一大步。法國和英國已經跨出了這一步，德國正在開始跨這一步。在敘拉古、雅典、亞歷山大里亞之後，有羅馬。在新德里、巴黎、倫敦之後有柏林和紐約。處於這些城市輻射圈外的整個地區——古代的克里特、馬其頓和今天的斯堪的納維亞北部的命運就是變成「行省」。

　　（節選自奧斯維德・斯賓格勒著，齊世榮等譯《西方的沒落》（上
冊），商務印書館）

編選說明 ●●●

　　奧斯維德・斯賓格勒（1880—1936），德國哲學家、史學家、政
論家。青年時期，斯賓格勒在柏林、慕尼克、哈雷等地遊學。1904
年，他以一篇論述古希臘哲學家赫拉克利特哲學思想的論文獲哈雷大
學博士學位。1911 年，斯賓格勒移居慕尼克，靠一小筆遺產維持生
計，並開始構思和撰寫《西方的沒落》一書。該書第一卷《形式與實
際》於 1918 年問世，第二卷《世界歷史透視》於 1922 年問世。斯賓
格勒在導言中指出，他寫這本書的動機是「想去預斷歷史，想去研究
一種文化宿命中的迄今未被人經歷過的各個階段……特別是關於正處
於完成狀態的文化，即西歐美洲文化的各個階段」，並「從歷史實際
中去尋找歷史經驗和精髓，以便我們能去形成我們自己的未來」。斯
賓格勒認為各種文化的產生、發展和滅亡過程都是相互類似的。因
此，西方文明也必然走向沒落。

湯因比

原始社會和文明社會的區別

　　當文明接觸到文明社會為什麼產生和如何產生這個問題的時候，我們發現在這方面我們的二十一個社會事實上是分為兩類的。其中十五個是另外幾個社會的子體。但是其中有幾個社會同它們的親體非常相似，甚至都有點難於分清面貌；另外也有幾個又同它們的親體非常不相似，如果一定說它們之間是親子關係，這個譬喻又有些勉強。但是沒什麼關係，這十五個左右社會所以同另外那六個不同，據我們瞭解，是因為那六個社會是直接從原始社會裏產生的。我們現在且先來注意這六個社會的起源。它們是：古代埃及、蘇末、米諾斯、古代中國、馬雅和安第斯等社會。

　　原始社會和較高級的社會之間有什麼根本區別呢？它們之間的區別並不在於有沒有制度，因為制度是人和人之間的表示非個人關係的一種手段，在所有的社會裏都有，因為即使是最小的原始社會也是建築在較寬廣的基礎上，無論如何都大於個人直接接觸的那個狹窄範圍。制度是「社會」全屬的屬性，所以這個「屬」裏的兩個「種」都有這個共同屬性。原始社會有這樣一些制度——表現每年農業周期的宗教；圖騰崇拜和外婚制度；戒律，進入社會的儀式和劃分年齡級別；在某年齡階段的男女按性別分居，住在不同的居住點——其中有些制度相當複雜，也許可以說是像文明社會的特徵一樣不易一下子弄

清楚。

分工也不是文明社會同原始社會之間的根本區別，因為我們至少在原始社會的生活裏也還能看得見初步的分工。王、巫師、工匠和歌手全是「專家」——希臘傳說裏的工匠赫菲斯托斯是個跛子，希臘傳說裏的詩人荷馬是個瞎子，這些事實也可能表示在原始社會裏只有在生理上有缺陷的人、不能夠全面發展或成為「萬能先生」的人，才會成為「專家」。

原始社會和文明社會之間的根本區別，據我們看（這個「據我們看」是很重要的）是模仿的方向。模仿行為本來是一切社會生活的屬性。在原始社會和文明社會裏都有這樣的行為，從女演員們謙卑的模仿一個電影明星的行為起，在每一種社會活動中都有這種行為。然而，在這兩種社會裏，模仿的方向卻不同。我們知道，在原始社會裏模仿的對象是老一輩，是已經死了的祖宗，雖然已經看不見他們了，可是他們的勢力和特權地位卻還是通過活著的長輩而加強了。在這種對過去進行模仿的社會裏，傳統習慣占著統治地位，社會也就靜止了。在另一方面，在文明社會裏，模仿的對象是富有創造精神的人物，這些人擁有群眾，因為他們是先鋒。在這種社會裏，那種「習慣的堡壘」（白哲特在他的《物理學和政治學》裏所用的名詞）是被切開了的，社會沿著一條變化和生長的道路有力地前進。

如果我們問自己，在原始社會和較高級社會之間的這種區別是不是永而根本的，那我們一定說「不是的」。因為如果我們只談到，原始社會的靜止狀態，那是因為我們在直接觀察裏只看見了他們歷史的最後幾個階段。可是我們雖然在直接觀察裏看不見什麼，如果我們採

用一般推理的辦法，我們還是可以知道這些原始社會一定有過早期歷史，在那時候它們的前進動力恐怕還超過了「文明」社會迄今所有的動力。我們已經說過，原始社會的歷史同人類的歷史一樣長，但是如果說得更正確些，我們應該說它比人類的歷史還要長一些。在人類以外的高級哺乳動物中也有某一種社會的和組織的生活，而且很顯然，人類如果不生活在社會環境裏就沒有可能變成人。從半人到成人，這個變化是在原始社會的環境裏進行的，關於這個情況，我們並無記錄可查。但是我們可以說，這個變化是比在我們社會的環境裏所發生的任何一次變化都是更深刻的一次變化，是一次更大的生長。

（節選自湯因比著，曹未風等譯《歷史研究》，上海人民出版社 1986年版）

編選説明 ● ● ●

湯因比（1889—1975），早年曾在牛津大學的巴裏奧學院學習希臘、羅馬的古典著作，並漫遊希臘各地。從青年時代起，湯因比就被認為是希臘—羅馬史和近東問題的專家。《歷史研究》第一至三卷出版於 1934 年。湯因比認為，歷史研究的最小的、可以理解的單位是文明和社會，而不是一個一個的民族國家。他把人類 6000 年的歷史分成 26 個文明。每個文明的發展都經歷過五個階段，即起源、生長、衰落、解體和死亡。他認為文明的起源和生長都是挑戰和應戰相互作用的結果。歷史的前進是由於富有創造性的少數人發揮創造性的

結果。在湯因比眼中，人民群眾在歷史發展過程中，只是任人擺佈的
群氓，而少數「英雄人物」才是歷史的創造者。湯因比提出，在 26
個文明中，有 18 個已經死亡或處在垂死掙扎的階段。而剩下的 8 個
文明中的 7 個，在不同程度上，也都處於被西方基督教文明或消滅、
或同化之中。而西方的文明也不可避免地要走向滅亡。在論及文明衰
落的原因時，湯因比承認是內在的。他提出，由於少數人不可能永遠
保持著創造性，就必然會失去影響廣大群眾靈魂的魔力，而為了維持
他們的統治，只有採取壓服的辦法，於是群眾就起來反抗，從而導致
文明的衰落。

尼赫魯

印度的文化傳統

　　印度和我是血肉相連的。印度的許多事物本能地使我激動。不過我差不多是以一個外國批評家的身份來認識它的，對於它的「現在」和我所見過的許多「過去」遺跡充滿了厭惡的心情。在某種程度上我是通過西方來認識印度的，我像一個友好的西方人那樣地觀察著它。我急切於要改變它的前途和外貌並且使它披上現代人的服裝。可是我的心中產生了疑慮。我這個膽敢拋棄它的許多「過去」遺產的人真懂得印度麼彝有許多東西確是不得不拋棄，而且必須拋棄。但是如果印度不曾擁有一些富有生命力的、耐久的、有價值的事物，肯定地，它就不能夠像「過去」那樣地偉大，也不能夠繼續維持幾千年的文化生活。那些事物究竟是什麼？

　　我的這些旅行參觀再加上我讀過的書籍作為背景使我把過去看得清楚了。在質樸的理智的瞭解之外再加上一種感情的體會，我心中的印度的圖景不知不覺地逐漸有了一種現實的意義，我的先人們的土地對我說來漸漸成為曾經住著有生命的人的土地了，他們歡笑過、哭泣過、戀愛過、痛苦過；他們看來是懂得人生和瞭解人生的人們，並且用他們的智慧建立起一種組織，使印度文化穩定，維繫了數千年之久。

　　我彷彿看見佛第一次在說法，他的一些記載下來的話語好像遠方

的回聲似的透過兩千五百年的歲月傳到我的耳鼓裏來了。阿育王石柱上的銘刻好像用它的莊嚴詞句向我訴說著，它告訴我有一個人雖然是個皇帝，但比任何國王或皇帝更要偉大。亞格伯忘卻了他的帝國，坐在法提普爾‧西克裏地方與各種信仰的學者們交談辯論，好奇地追求新知，並且在尋求著人類的那個永恆問題的答案。

　　印度的文化傳統經過五千年的侵佔及激變的歷史，綿延不絕，廣佈在民眾中間，並給予他們強大的影響，我覺得是一種稀有的現象。只有中國有這樣的傳統及文化生活的一脈相承。而這幅過去的全景逐漸消失在不幸的現在中了。過去的印度雖然是偉大而安定的，現在卻是一個奴隸國家，是英國的附屬國了。而在整個世界上，還有一個可怕的、毀城性的戰爭正猖獗地奴役著摧殘著人類。但是五千年的回顧給我一種新的遠景，現在的負擔好像減輕了。英國在印度一百八十年的統治在印度悠久的歷史中不過是不愉快的插曲之一而已；印度會返本歸源的，而這章歷史的最後的一頁已在書寫中了。世界在今日的恐怖中也將要巍然不墜，並在新的基礎上重新建立起來。

　　有時我們聽說，我們的民族主義是我們落後的標誌，甚至我們獨立的要求也是我們器量狹小的表現。這些告訴我們的人好像在幻想國際主義的真正勝利，只要我們同意存留在大英帝國或英聯邦中作一個小夥伴的話。他們好像沒有認識到，這種所謂的國際主義的一種特別類型不過就是狹義的英國民族主義的擴展而已，即使從英印歷史得出的邏輯的結論還沒有在我們心中把這個可能性連根拔掉，這也不會引起我們的興趣。然而印度，雖具有強烈的民族主義熱情，它還比其它國家更進一步能接受真正的國際主義，而且以獨立自主國家的姿態接

受世界組織中平等合作以及在相當範圍內服從組織的義務。

　　每個民族每個國家對於它的國家命運都有這樣的信心或幻想，這種說法總有一部分正確的。因為既是印度人所以我自己也受了這個信心和幻想的影響，並且我覺得任何民族如果它能渡過幾百世代而毫不間斷，一定有它吸取耐久力量的源泉，而且還有能力把這力量隨著時代更新。

　　雖然我的人民在表面上有分歧和無數的類型，但在每個地方都有那種偉大的一致性的印痕，這個一致性在過去的世世代代中無論我們遭受怎樣的政治命運或災難都會把我們團結在一起。

　　在過去二十五年中為了爭取印度的獨立以及所有我們對英國當局的衝突的背後，在我和許多人的心中存著一個復興印度的願望。我們感到憑藉實際的行動，憑藉自我犧牲的精神，憑藉自覺的冒險精神和抗拒罪惡與錯誤的決心，我們就可以給印度的精神電池充足了電力，而把它從睡眠中喚醒起來。雖然我們接連不斷地和在印度的英國政權發生鬥爭，但是我們的眼光總是經常地看著自己的人民。政治的優勢只有在能說明我們達到基本目標的時候才有價值。我們只求培植起人民的真正內在的力量，其它問題自能迎刃而解。我仍必須把過去幾代中獻媚和屈服於傲慢的外國政權所留下來的恥辱一掃而空。

（節選自尼赫魯著，齊文譯《印度的發現》，世界知識出版社 1956 年
版）

編選說明 ●●●

　　尼赫魯（1889—1964），出生於印度北方一貴族家庭，父親蒂拉爾·尼赫魯為國大黨元老，當時印度已淪為英國的殖民地近一個世紀。1905 年 16 歲的尼赫魯進入英國哈羅學校學習，1907 年考入劍橋大學，曾獲自然科學榮譽學位。1910 年又進倫敦內殿法學會，歷時兩年取得律師資格。1912 年回國，任家鄉高等法院律師。1920 年以後，他參加了甘地領導的非暴力不合作運動，為印度的獨立而奮鬥。1947 年印度獨立後，尼赫魯出任總理，直至逝世。1953 年他與周恩來總理一起提出著名的和平共處五項原則。

　　尼赫魯的《印度的發現》一書的學術地位正如著者所說：「這本書不是一部印度的歷史，甚至也不是一部關於這個國家所發生事件的連續性記載，這本書僅僅企圖瞭解它的悠久歷史中的生活的某些方面，瞭解激動著它的思想和感情的某些方面。我想，要真正瞭解一個古國的現在，對它過去的這樣一種瞭解是非常必要的。」簡言之：就是要把印度的傳統文化精神凸現出來。

潘克拉托娃

●●●

15 世紀末俄羅斯國的社會制度

　　15 世紀末，俄羅斯國的經濟實際上還是自然經濟。不過在這個時期，商品貨幣關係較前更為發展了。各城市、各地區間有了更頻繁的商業往來。在莫斯科興起了一個很大的商業中心，出現了許多店鋪和供「客人」歇宿的客棧。附近各地區的糧食也運到莫斯科來賣。有一位在伊凡三世在位時到過莫斯科的外國人對冬季集市作過生動的描寫：在結冰的莫斯科河上，「商人們擺起許多雜貨攤」，「整個冬季每天都有糧食、肉類、豬、木材、草料及其它必需品運到這裏來」；「11 月底，全郊區的居民都宰牛殺豬運到城裏去出賣。看著這大批剝了皮的死畜，用後腳支立在冰上，是很有意思的」。可見，這時所需要的東西已不全靠各經濟單位自己生產，而也在市場上購買了。15 世紀末和 16 世紀初土地佔有者已不滿足於只向農民徵收實物稅，而且還要他們以現金納稅，這一點也說明了商品貨幣關係的發展。

　　封建世襲領地上的經濟仍然是自然經濟。這種經濟還很難適應市場的需求。地主有權向住在其地產上的農民徵收租稅並強迫他們服勞役。

　　在封建制度下，農民是永遠不自由的。封建主甚至不惜採用公開的暴力來強迫農民留在他們的土地上。「老住戶」，即久住在該世襲領地上的農民，尤其不容易離開封建主的土地。就是其它農民離開一

個地主投向另一個地主的自由也是受限制的。通常只是在冬初，田裏的話都幹完了，糧食已運進地主的庭院，才可以離開。在保護封建主利益的強大中央集權國家形成以後，貴族們便想把這種秩序法定下來，從而更加鞏固其對農民的統治。

農民從一個地主名下轉到另一個地主名下的權利是大受限制的。在 1497 年頒佈的「法典」中載有更加強化這種限制的法律。伊凡三世想用這項法律來保證地主的農奴勞動力。農民只有在所有農活結束之後，才獲准離開地主。為此，國家還規定了一個農民離開的日期，即舊曆 11 月 26 日的「尤里耶夫節」。

農民可以在尤里耶夫節前後各一周中離開主人，但必須事先與主人清帳──繳付「居住費」，即為他住過的房屋付租金。俄羅斯國是一個封建國家，因此它千方百計地幫助地主使農民淪為農奴。

人數眾多的貴族階層在國內具有很大的政治作用。貴族原沒有自己私有的土地，完全依附於大公。大公把地產賜給他們，方使他們有剝削農民的機會。因此大公就有了貴族這樣的忠實奴僕。

他們依靠這些奴僕就能夠鞏固自己的政權。

行政管理與軍隊把分散的封建公國聯合成一個統一的封建國家之後，莫斯科大公國的行政管理是根據新的原則組織起來的。伊凡三世在位時，一切行政管理權都集中在大公手中。

所有原先獨立的王公這時都轉而為莫斯科大公服務。他們都由獨立的「君主」變成了大公手下的領主。他們中的最顯貴者參加大公設立的杜馬，即議會，大公與議會共同治理國家。在確定原先的王公和其它領主的職位時，不是按其功勞大小，而是按其世襲門第高低，即

當時所謂的「論門第」。最顯貴的領主居高位。世襲名門領主的職位不能低於名望較低者，或者甚至不能與名望較低者的職位同等。這樣的制度叫做「門第制」。門第制給國家帶來很多害處。在任命官員時，不是起用聰明而又有才幹的人，而是誰的門第較顯貴就起用誰，即使沒有什麼才智。在任命征戰官員和其它職位時，往往為職位的高低而發生爭執，這就必然對事業造成嚴重的危害。門第制是大公對封建主的一種讓步，它大大妨礙了國內事務的正常進行。

新征服的地區由大公任命總督去治理。這些總督負責治理託付給他們的地區，審理訴訟，徵收賦稅。為此，他們按舊例由居民「供養」。在伊凡三世前，為供養總督而徵收的捐雜是不加限制的。伊凡三世則明確規定了用於供養的實物或現金的數額，還確定了貿易稅和訴訟稅的數額。在莫斯科設有若干專門機構──「部署」，分管國家行政各部門的事宜，如軍事、財政等。大公的司書，即辦理全部日常事務的官吏，在行政管理上起很大作用。1497 年頒佈的法典規定了國家的管理制度和訴訟程序。

伊凡三世統治時建立了一支強大的軍隊。權力和資財集中在一些人手中，為大大提高軍事技術裝備提供了可能。炮隊建立了，軍事統一了。以前的情況是每個王公帶領自己的軍隊應大公的召喚，這樣召集起來的軍隊有很多缺點。在遭到敵人的突然襲擊時很難集合起來，每次都要和各王公商議，沒有統一的指揮，每個團隊都在自己的「族旗」下單獨作戰。隨著各公國被消滅，伊凡三世統一了各團隊，即當時所說的，把各王公的「朝廷」歸併入大公的朝廷。這樣就組成了一支龐大的「貴族」軍隊。貴族中絕大部分是小土地佔有者。領主的僕

役和自由民不斷充實進貴族階層。

　　（節選自潘克拉托娃主編，山東大學翻譯組譯《蘇聯通史》第三卷）

編選說明 ●●●

　　潘克拉托娃（1897—1957），是蘇聯著名歷史學家、蘇聯科學院院士，曾任莫斯科大學教授，蘇共十九大中央委員。該書是 20 世紀四五十年代蘇聯科學院歷史研究所編寫、經蘇聯教育部審定的歷史教科書，它運用歷史唯物主義觀點詳細闡釋了從史前到成書時蘇聯境內各民族的歷史。山東大學組織翻譯組，據莫斯科國家教科書出版社1954—1955 年俄文第十三、十四版將全書譯出，於 1978—1980 年間刊行。該書顯示了作者深厚的史學功底、值得對蘇聯史有興趣的人認真品讀。在品讀的過程中，讀者對蘇聯學者如何運用歷史唯物主義解釋歷史會有所感悟。

維克多‧李‧伯克
不同文明的衝突是社會進步的動力

　　文明鬥爭衝突模式把西歐國家體制的起源與各種文明之間的社會衝突聯繫在一起。存在於歐洲、古羅馬、伊斯蘭、維金、拜占庭、各種斯蒂匹武士、奧斯曼、美洲土著、歐亞大陸文明地區和蒙古等各種文明之間的衝突，是發生在我本人所規定的文明之間或普世性層面之上的。對於這一層面是如何在全球範圍內把各種文明的權力統治制度和分層制度都包容在內的狀況，我們已做了揭示。低於這一層面的是超宏觀層面。它包容著各個文明、各種社會、各個社會團體以及各個社會團體間的 N 狀結構系統。這些各種社會、各種社會團體和各種社會團體之間的各種網狀結構系統，既是超宏觀層面的組成部分，又同時是構成各種文明的基礎部件。

　　當我們在因果關係最為廣泛的層面上，關注社會動力機制時，借助梯利——吉登斯原理，我們發現普世性的鬥爭衝突，它包含著發生在各種文明之間的衝突與鬥爭。也正是在這一層面上，我們揭示出了這些普世性的鬥爭衝突是如何導致了歐洲國家的建設和國家的變遷轉型。戰爭行為的結構是形成拉丁基督教世界起源的核心推動力。這最初是羅馬帝國的崩潰，後來則是加洛林國家體制的興起，它是加洛林國家與安德魯斯的伊斯蘭文明的衝突所導致的；而後，則是加洛林王朝不斷地把日爾曼各個部落融入帝國自身，並在意大利擊敗了倫巴德

人。在這一歷史階段，普世性層面的戰爭是西歐文明基礎性的組織化因素之一。從羅馬帝國崩潰到現代二元體系興起期間，諸種文明之間的鬥爭衝突是西方社會變革機制中的核心原因。同樣，與現代化理論的論斷相反，導致西方社會變革的核心動因在工業革命之前很久便已產生了——它至少起源於加洛林王朝的國家體制。

各種文明之間的衝突，是一臺驅動西方現代國家體制興起的發動機。歐洲文明的形成主要是對維金、伊斯蘭、拜占庭、各種斯蒂匹武士、蒙古和奧斯曼諸種文明力量所作出的反應的結果。與維金人的衝突，摧毀了中央集權化的加洛林國家體制，其結果造成了一種新的局勢，在這種局勢中，那種非中央集權化的軍事結構成為進行自我防禦最有效的體系。

在普世性層面上，從文化上講，羅馬教廷開始成為一種整合西歐統一性力量的代表，以對抗伊斯蘭教。十字軍戰爭造成了一種資本主義的繁榮，因為意大利各城市國家在向中東的各十字軍王國提供後勤補給的貿易中發了大財，愈發富裕起來。可隨之而來的，卻是各個十字軍王國的不斷失利，歐洲人為這些普世性層面上的各種動員付出了極為沉重的代價，其結果導致了歐洲文明內部的內聚性裂變。整個這一過程導致了莊園制的衰敗、羅馬教廷的垮臺，而這一切在宗教改革運動中達到了頂點。

在地緣政治的框架結構中，各個國家相互對抗、鬥爭，或是抵禦外來的入侵，或者力圖將自己的權勢強加給其它的社會。處於這一層面上的各個文明，通過軍事暴力吞併周邊的諸種社會的方式使這些社會的結構發生徹底的改變，而在變革這些社會結構的同時，也使得諸

文明自身的內部分層體系發生變革。通過對不同類型文明的內部動力機制的探究，我們發現了不同的社會模式之間、各種不同的經濟體系之間的種種差異。在文明衝突過程中形成的各個國家，既促成了各種不同的一定的文化模式，又壓制約束著其它文化，並在本文明內部所允許的範圍內，對各種文化差異的程度施加影響。

　　我們看到了歐洲早期國家在構建加洛林王朝體系的同時，是如何吞併、融合其它日爾曼部落的；看到了後來的加洛林王朝諸超級邦國之間的混戰，又是如何把整個帝國大廈夷為平地，並孕育出封建主義的。我們對歐洲各個國家之間的戰爭、各種各樣的宗教戰爭以及哈布斯堡發動的各類戰爭，是如何改變整個歐洲的情形作了描述。而在伊斯蘭、維金、拜占庭、各種斯蒂匹武士、奧斯曼、歐亞大陸交界及蒙古諸種文明中，也同樣存在著類似的內部動力機制。

（節選自維克多·李·伯克著，王晉新譯《文明的衝突：戰爭與歐洲國家體制的形成》，上海三聯書店 2006 年版）

編選說明 ● ● ●

　　《文明的衝突：戰爭與歐洲國家體制的形成》一書，從文明的衝突視角考察了歐洲現代國家體制形成的動因。在伯克看來，以戰爭為紐帶展開的文明衝突，對歐洲現代民族國家的興起起了決定性作用，而這一歷程也非傳統所認為的始於文藝復興和宗教改革，早在 8 世紀羅馬帝國與日爾曼部落之間的文明鬥爭時便開啟。他以歐洲千年歷史

發展進程為「經」，以戰爭，特別是歐洲與其周邊諸多域外異質文明之間的暴力衝突為「緯」，鋪就了一個巨大的時空平臺，對促進西方國家體制形成的諸多歷史力量及其作用進行了探究與考察。由此認為，在由各種不同文明所構成的歷史場景中，各種文明間的競爭、抗衡、戰爭與衝突是一臺驅動西方民族國家興起的發動機。伯克的文明衝突論是對西方現代化理論中占主流地位的西方中心論的一次挑戰，他批評西方主流理論「忽略了對其它偉大的文明在現代世界起源上所發揮出的核心作用進行科學的認知」。與以往的各種「文明衝突論」相比，「文明鬥爭衝突模式」的理論確有其創新之處，值得我們重視。

格裏高利 · 克拉克

東西方經濟發展大分流的主要原因

　　為什麼工業革命後，世界各國的發展會呈現大分流現象呢彝自從 19 世紀晚期，富國和窮國之間的差距日益擴大以來，這一問題就引發了人們熱烈的討論。

　　分析家們得出了一個結論：大分流的原因在於貧窮國家政治制度和社會制度的失敗。但是，我們可以看到，這一論點存在兩個明顯的問題。首先，它沒能分析我們所觀察到的大分流現象的本質：為什麼窮國會持續貧窮。其次，為什麼貧窮國家一次次的制度改革和政治改革似乎都沒能消除貧窮。

　　造成效率差異的原因可能在於各國在接觸最新技術的難易程度方面存在差異：要麼不具備規模經濟，要麼不能合理地使用進口技術。不能有效地雇用勞動力進行生產，從而導致即便採用最新技術，一國的人均產出也非常低。

　　自工業革命以來，窮國的一個主要特徵就是生產效率較低。然而，它們的問題通常並不是不能獲得新技術，而是在於不能有效地利用新技術。通過考察 1910 年在各國都存在的兩大行業：棉紡織業和鐵路運輸業，我們可以清楚地發現這一問題。

　　在第一次世界大戰前，棉紡織工業似乎是窮國通向工業化的必經之路。不僅各國國內市場對棉紡織品存在較大需求，而且廠商們還面

臨著一個巨大的開放性國際市場。棉紡織品並不是資本密集型產品，而棉紡織廠的最佳規模甚至比最小的那些國家的市場規模還小。從現實情況來看，英國的棉紡工廠在世界市場佔據了統治地位。

隨著英國工程公司開始製造生產設備，並不斷以較低的價格出口到國外，棉紡織生產技術可以很容易在國際市場上獲得。在像英國這樣的國家，非熟練勞動力是最主要的生產成本。而貧窮國家有著豐富的廉價非熟練勞動力。

從理論上講，至少從 19 世紀 50 年代起，憑藉勞動力成本方面的巨大優勢，窮國應該就能佔據整個棉紡織行業，並將英國從其國內市場上驅逐出去。

英國之所以能引領整個世界市場，就是因為其它國家的工廠的效率水準沒有英國高。但是它們的低效率表現為一種特殊的形式。它們的勞動力使用效率低，即便它們使用的機器和工資率較高的國家一樣，但由於它們為每臺機器配備的工人也多得多，結果不能從機器生產中獲取額外的產出。

在環錠紡紗過程中，美國北部的一個工人可以負責 900 個紗錠，而中國的一個工人僅能負責 170 個。對於一臺普通的織布機，美國北部的一個工人可以同時控制 8 臺，而在中國每個工人僅能控制 1 臺或 2 臺。在工資較低的國家，雇用額外的勞動力並不是為了更大程度地利用昂貴的機器。沒有證據表明，在這些工資較低的國家工廠，雇用更多工人會使得每臺機器的產出增加。例如，環錠紡紗機的產出幾乎完全取決於機器的運轉速度。紡紗機的速度是可以改變的，但更快的速度就意味著每臺機器需要配備更多人手，因為速度越快斷線的頻率

就越高。最窮的那些國家的紡織機的速度要略快一些，但考慮到它們額外雇用的勞動力，其紡織效率與其它國家就基本沒差別。

1914 年前，在富國和窮國都存在的另一個現代產業就是鐵路業。和棉紡織業一樣，在該行業窮國和富國的技術水準都差不多。當時世界上很多鐵路都是英國工程師建造的，並運用了當時英國最先進的技術。在 19 世紀晚期，英國機車製造商生產的機車很多都出口到了國外市場，尤其是英屬殖民地。窮國鐵路業員工的行為就絕對達不到英國員工的水準，那些雇傭勞動力過剩的國家並沒有從中獲得多少利益。

在 1910 年前後的棉紡織業和鐵路業中，我們可以發現同一種情況：窮國所使用的技術和富國是一樣的，窮國和富國每單位資本的產出水準也相同。但是，窮國是靠大幅提高每臺機器的勞動力數量才達到這種水準的。而這一行為使得窮國喪失了它們起初擁有的絕大部分勞動力成本的優勢。

由此看來，1800——2000 年間窮國經濟之所以沒有取得多大進展，最關鍵的原因在於這些國家的生產效率太低。貧窮國家的低效率表現為一種特殊的形式：每臺機器配備的勞動力過剩，而每單位資本的產出卻沒有增加。

（節選自格裏高利‧克拉克著，李淑淑譯《應該讀點經濟史：一部世界經濟簡史》，中信出版社 2009 年版）

編選說明 ●●●

　　作者格裏高利・克拉克，加州大學大衛斯分校經濟系主任，著名經濟史研究專家。長期以來，對於為什麼工業革命發生在英國，而不是中國、印度或日本？為什麼工業化不會讓全世界富裕起來，反而讓某些地區更加貧困？為什麼國家間會持續地存在貧富差距？諸如此類的問題，引發了人們熱烈的討論。一般認為，歐洲是因為在 17 世紀發展出穩定的政治、法律和經濟機制，才推動了工業革命的發生和之後的社會經濟發展，並斷言工業化是所有國家達到富裕的必經之路。克拉克在本書中大膽提出全新觀點：決定人類窮與富的命運，並非剝削、地理因素或天然資源，不同的文化背景造成的生產效率差異才是決定性因素。對於其它許多非西方國家來說，工業化則非天賜之福。格裏高利・克拉克的這些觀點，或許能夠幫助我們接近歷史的事實，破解人類發展的謎團。

費爾南 · 布羅代爾

文明、經濟與資本主義

　　每個人口稠密的地區都各有一套基本對策，而且在扮演歷史主角之一的惰性力的反指使下，往往硬要固守這套對策。文明不過是一群人在一塊地域長期安頓而已。否則它又是什麼呢？文明是一個歷史範疇，是一種必要的歸類。人類只是從 15 世紀末開始才趨向統一。15 世紀前，特別是在更靠前的世紀，人類被分割成不同的星球。每個星球庇護著一種獨特的文明或文化。每個文明或文化又各有其長時段特性和選擇。即使親若毗鄰，文明的決策絕對不會混淆。

　　在優先說明了長時段和文明這兩項秩序後，還必須對普遍存在的各種社會體系按其本質加以分類。一切都體現社會秩序，這對歷史學家和社會學家來說已是老生常談，但平凡的真理並非無足輕重。我連篇累牘地講了生活長河的兩岸：窮人和富人，貧苦和奢侈。這些對日本，對牛頓時代的英國，或對哥倫布發現新大陸前的美洲，都是平淡無奇的事實。在西班牙人到達前，美洲對服飾有十分嚴格的規定和禁忌，用以區分平民和統治者。歐洲的統治使美洲人全都淪為「土著」，規定和區分也就幾乎全部消失。他們的衣料——粗呢、棉布或我們稱作麻布袋的龍舌蘭纖維織物——使人很難看出有什麼差別。

　　但與其說社會體系（術語本身就很含糊），還不如說社會經濟體系。馬克思說得好：土地、船隻、織機、原料、產品等生產資料的佔

有者怎能不同時佔據統治地位呢？僅採用社會和經濟兩個坐標軸顯然也還不夠；多種形式的國家必定同時作為起源和結果表現自己，有意無意地影響和搗亂因果關係，並且在世界的各種社會經濟體系中笨拙地發揮作用。我們可以按照奴隸制、農奴制、領主制、商人（資本主義誕生前的資本家）的次序對這些社會經濟體系分門別類。這樣一來，我們又回到了馬克思的用語，仍然站在馬克思的一邊，雖然我們不採納他的術語，不同意他關於任何社會將嚴格的按順序從一個結構向另一個結構過渡的論斷。問題歸根到底是要明智地按階梯劃分社會。只要一談到物質生活，任何人都躲不開這個必要性。

　　長時段、文明、社會、經濟、國家、價值等這類問題必定是在物質生活現實表現自己，這個事實足以證明，歷史總是帶著所有人文科學在以人作為研究對象時遇到的謎語和難題出現在我們的面前。想把人簡化成一個可被捉摸的人物，這是白日做夢，是永遠也辦不到的事。你剛要抓住以最簡單的面目出現的人，他卻已經恢復了自己的複雜性。

　　涉及經濟生活，我們將脫離因循守舊，走出無意識的日常生活瑣事的範圍。經濟生活有它自己的規律。由來已久的和逐漸形成的勞動分工為日常生活中能動的、有意識的活動提供有分又合的組織形式，使之謀得細小的利潤；這種剛從普通勞動中脫胎而出的資本主義雛形尚不令人憎惡。再往上走，到了最後一層，那就是資本主義及其擴展野心，這在一般人眼裏已是鬼蜮伎倆。有人或許會問這一玄妙的體系與底層的平民百姓又有什麼關係？這也許關係到他們的一切，因為這一體系把平民百姓的生活包括了進去。從本卷第一章開始，我就試圖

指出這一點，並強調人類世界是個分等級的不平等世界。正是這些不平等、不公正和大大小小的矛盾推動著世界，不斷改造著世界的上層結構。世界上真正可變的只是這種上層結構，因為唯獨資本主義才享有相對的行動自由。根據不同的時期，資本主義可能同時在不同地點取得成功，也可能交替地朝商業利潤、製造業利潤、年金、購買國債或放高利貸的分析發展。面對物質生活和一般經濟生活不易變動的結構，資本主義可以根據自己的願望和可能作出的選擇，投身一些領域和放棄另一些領域，並且以這些基地為出發點，不斷改造自身的結構，順便又逐漸改變其它的結構。

　　所以，孕育中的資本主義體現著世界的經濟形象，是重大物質進步和人對人的沉重剝削的根源和標誌，並非僅僅由於攫取人力勞動的「剩餘價值」，而且還因為態勢和地位的不平衡才造成以下的情形：無論在一國或在世界的範圍，隨著機遇的變遷，總有某個空缺有待填補，某一部門比其它部門更有開發價值。選擇，能夠挑選，即使挑選的餘地相當有限，這已是無比巨大的特權！

（節選自費爾南‧布羅代爾著，顧良、施康強譯《15 至 18 世紀的物
　　　　質文明、經濟和資本主義》，三聯書店 1987 年版）

編選說明 ● ● ●

　　作者費爾南‧布羅代爾（1902—1985），法國新史學開創者、年鑒學派掌門人，主要著作有《菲力浦二世時期的地中海和地中海地

區》《法國經濟社會史》《15 至 18 世紀的物質文明、經濟和資本主義》
及《資本主義論叢》。

　　在《15 至 18 世紀的物質文明、經濟和資本主義》等著作中，布
羅代爾提出了歷史發展三維時段理論，他把歷史時間劃分為三種時
段，一為長時段，緩慢流逝的歷史──地理、生態和環境的時間；二
為中時段，具有緩慢節奏的歷史──社會周期性變化的時間；三為短
時段，傳統史學的歷史──個人、事件的時間。他認為：在這三種時
段中，起長期決定性作用的是長時段，基於此，他主張應在廣闊的時
空範圍和歷史領域展開研究。

霍布斯鮑姆

20 世紀的第三世界革命

　　發生於第三世界的種種變遷及逐漸解體的現象，與第一世界有一點根本上的不同。前者形成了一個世界性的革命區域——不管其革命已經完成、正在進行或有望來臨——而後者的政治社會情況，一般而言，在全球冷戰揭幕時大多相當穩定。至於第二世界，也許內部熱氣沸騰，可是對外卻都被黨的權威及蘇聯軍方可能的干預嚴密封鎖。只有第三世界，自 1950 年以來很少有國家未曾經歷革命、軍事政變，或其它某種形式的內部軍事衝突。

　　這種現象，美國自然也看得很清楚。作為「保持國際現狀」的最大護法師，美國將第三世界的動盪種子歸咎於蘇聯；至少，它也把這種騷亂狀態，看做對方在全球霸權爭奪戰中的一大資產。幾乎自冷戰開始，美國便全力出擊對抗這一威脅，從經濟援助開始，到意識宣傳，正式與非正式的軍事顛覆，一直到掀起大戰，可謂無所不用其極。

　　第三世界的革命潛力，也多具有共產黨屬性，他們從事的解放手段及現代化運動，也以蘇聯為師。

　　幾十年來，基本上蘇聯都採取相當實際的態度，來處理它與第三世界革命派、激進派，或解放運動的關係，因為蘇方並不打算，也不期望擴大它現有在西方世界的共產黨地盤。一直到 70 年代中期，都

沒有任何明顯證據顯示，蘇聯意欲借革命將共產黨陣營地盤向前擴展。事實上，當 1960 年蘇聯在國際共運的領導地位受到中國以革命之名挑戰時，第三世界遵從莫斯科號令的各家政黨，也始終維持其刻意的修正路線。

　　儘管如此，第三世界畢竟成為那些依然深信社會革命之人的信仰希望基石。它擁有世上絕大多數的人口，它彷彿一座遍佈全球，隨時等待爆發的火山，它是一處稍微顫抖，便表示大地震即將來臨的地震帶。即使是那位認為意識形態已經在黃金時代自由安定的資本主義西方世界裏告終的學者，也承認千禧年與革命的希望並未就此消失。

　　促成革命爆發的社會政治動盪卻始終存在，社會不安的火山依然活躍。70 年代初期，資本主義的黃金時代告終，新的革命浪潮，開始席卷世界大部分地區。

　　回頭望去，世間不經過幾場革命、武裝反革命、軍事政變、平民武裝衝突，而能存在於今的政權屈指可數。看過了這樣一個流血革命的百年，誰還敢下賭注，擔保和平憲政式的轉變，真能在普天之下勝利成功？——1989 年時，某些深信自由民主憲政的人士欣喜若狂之餘，便曾誇下此等空想預言。然而進入第三個千年階段的世界，可並不是一個擁有安定國度與社會的世界。

　　不過，雖然世界肯定將繼續充滿狂亂不安——至少極大一部分地區將會如此——這些變亂的本質卻依然不明。在短促的 20 世紀行將結束之際的世界，是處於一種社會崩潰而非革命危機的狀態，雖然其中難免也包括如 70 年代伊朗般的國家。在那裏，具備起來推翻已然失去合法性並為民眾所憎恨的政權的條件，在足以取而代之的領導帶

動之下，民眾掀起叛亂反抗。然而在今天，像這樣一鼓作氣、集中焦點對現狀不滿的現象並不很多，一般較普遍的情形，多為分散式的排斥現有狀況，或對政治組織感到極端地不信任。總而言之，也許根本就屬於一種解體的現象，各國的國內外政治也只有盡其所能，竭力地適應。

更有甚者，具有高度爆破力的武器彈藥，如探囊取物，隨手可得，以致一度為發達社會獨霸的軍備優勢，也不再是世間的理所當然。前蘇聯集團境內，如今是一片貧窮不堪貪欲橫流的混亂現象。核武器的擁有，甚至製造方法，極有可能流入政府以外的團體手中——這種駭人的可能性，也不是難以想像的事情了。

因此，進入第三個千年的世界，顯而易見，必將仍是一個充滿了暴力政治與激烈政治劇變的人間。唯一不能確定的是，我們不知道這一股亂流，將把人類引向何處。

（節選自霍布斯鮑姆著，鄭明萱譯《極端的年代（1914──1991）》，
江蘇人民出版社 1999 年版）

編選說明 ●●●

作者霍布斯鮑姆，1917 年出生於埃及亞歷山大城的猶太中產家庭。在第一次世界大戰後受創至深的德奧兩國度過童年。1933 年進入劍橋大學學習歷史。1947 成為倫敦大學伯貝克學院講師，之後成為該校教授。

　　霍氏是英國著名的左派史家，自 14 歲於柏林加入共產黨後，迄今未曾脫離。就讀劍橋大學期間，霍氏是共產黨內的活躍分子，與威廉士、湯普森等馬克思派學生交往甚密；在 1952 年麥卡錫白色恐怖氣焰正盛之時，更與希爾等人創辦著名的新左史學期刊《過去與現在》。　霍氏的研究時期以 19 世紀為主，並延伸及 17、18 和 20 世紀；研究的地區則從英國、歐洲，廣至拉丁美洲。霍氏著作甚豐，先後計有 14 部以上專著問世，包括：《革命的年代》《資本的年代》《帝國的年代》《盜匪》《民族與民族主義》《原始的叛亂》《爵士風情》等。

撒母耳・亨廷頓

一個多極和多元文化的世界

　　在冷戰後的世界中，全球政治在歷史上第一次成為多極的和多文化的。在人類生存的大部分時期，文明之間的交往是間斷的或根本不存在，然後，隨著現代時期的起始，大約在公元 1500 年，全球政治呈現出兩個方面。在 400 多年裏，西方的民族國家──英國、法國、西班牙、奧地利、普魯士、德國和美國以及其它國家在西方文明內構成了一個多極的國際體系，並且彼此相互影響、競爭和開戰。同時，西方民族也擴張、征服、殖民，或決定性地影響所有其它文明。冷戰時期，全球政治成為兩極化的，世界被分裂為三個部分。一個由美國領導的最富裕的和民主的社會集團，同一個與蘇聯聯合和受它領導的略貧窮一些的集團展開了競爭，這是一個無所不在的意識形態的、政治的、經濟的、有時是軍事的競爭。許多這樣的衝突發生在這兩個陣營以外的由下述國家組成的第三世界，它們常常是貧窮的、缺少政治穩定性的、新近獨立的、宣稱是不結盟的。

　　20 世紀 80 年代末，隨著共產主義世界的崩潰，冷戰的國際體系成為歷史。在後冷戰的世界中，人民之間最重要的區別不是意識形態的、政治的或經濟的，而是文化的區別。

　　人民和民族正試圖回答人類可能面對的最基本的問題：我們是誰？他們用人類曾經用來回答這個問題的傳統方式來回答它，即提到

對於他們來說最有意義的事物。人們用祖先、宗教、語言、歷史、價值、習俗和體制來界定自己。他們認同於部落、種族集團、宗教集團、民族，以及在最廣泛的層面上認同文明。人們不僅使用政治來促進他們的利益，而且還用它來界定自己的認同，我們只有在瞭解我們不是誰、并常常只有在瞭解我們反對誰時，才瞭解我們是誰。民族國家仍然是世界事務中的主要因素。它們的行為像過去一樣受對權力和財富的追求的影響，但也受文化偏好、文化共性和文化差異的影響。對國家最重要的分類不再是冷戰中的三個集團，而是世界上的七八個主要文明。非西方社會，特別是東亞社會，正在發展自己的經濟財富，創造提高軍事力量和政治影響力的基礎。隨著權力和自信心的增長，非西方社會越來越伸張自己的文化價值，並拒絕那些由西方「強加」給它們的文化價值。

在這個新的世界裏，最普遍的、重要的和危險的衝突不是社會階級之間、富人和窮人之間，或其它以經濟來劃分的集團之間的衝突，而是屬於不同文化實體的人民之間的衝突。部落戰爭和種族衝突將發生在文明之內。然而，當來自不同文明的其它國家和集團集結起來支持它們的「親緣國家」時，這些不同文明的國家和集團之間的暴力就帶有逐步升級的潛力。未來的衝突將由文化因素而不是經濟或意識形態因素所引起。

在冷戰後的世界，文化既是分裂的力量，又是統一的力量。人民被意識形態所分離，卻又被文化統一在一起，如兩個德國所經歷的那樣，也如兩個朝鮮和幾個中國正開始經歷的那樣。社會被意識形態或歷史環境統一在一起，卻又被文明所分裂，它們或者像蘇聯、南斯拉

夫和波士尼亞那樣分裂開來，或者像烏克蘭、奈及利亞、蘇丹、印度、斯里蘭卡和許多其它國家的情況那樣，陷於激烈的緊張狀態。具有文化親緣關係的國家在經濟上和政治上相互合作。建立在具有文化共同性的國家基礎之上的國際組織，如歐洲聯盟，遠比那些試圖超越文化的國際組織成功。

　　冷戰後時代的世界是一個包含了七個或八個文明的世界。文化的共性和差異影響了國家的利益、對抗和聯合。世界上最重要的國家絕大多數來自不同的文明。最可能逐步升級為更大規模的戰爭的地區衝突，是那些來自不同文明的集團和國家之間的衝突。政治和經濟發展的主導模式因文明的不同而不同。國際議題中的關鍵爭論問題包含文明之間的差異。權力正在從長期以來占支配地位的西方向非西方的各文明轉移。全球政治已變成多極的和多文明的。

（節選自撒母耳‧亨廷頓著，周琪等譯《文明的衝突與世界秩序的重建》，新華出版社 2002 年版）

編選說明 ●●●

　　《文明的衝突與世界秩序的重建》一書包括五部分。第一部分為「一個多文明的世界」；第二部分為「變動中的各文明力量對比」；第三部分為「正在形成的文明秩序」；第四部分為「文明的衝突」；第五部分為「文明的未來」。其中第四部分「文明的衝突」，是全書的核心。亨廷頓首先指出，文明是人類的終機部落，文明的衝突就是全

球現模的部落衝突。文明間衝突一般有兩種形式，在地區或微觀層次上，不同文明的鄰國或一國內不同文明的集團之間的斷層線衝突;在全球或宏觀層次上，不同文明的主要國家之間的核心衝突。其次，亨廷頓認為斷層線戰爭具有相對持久、時斷時續、暴力水準高、意識形態混亂、難以通過協商解決等特點。不僅如此，斷層線戰爭通常發生在信仰不同、宗教不同神的人民之間。再次，亨廷頓從歷史學、人口學和政治學角度分析了斷層線戰爭爆發的原因:歷史上的衝突遺產，恐懼不安和彼此仇恨的歷史記憶;人口比例的巨大改變，一方對另一方造成的政治、經濟和社會壓力;政治上新興政治實體對民主化進程的強烈要求。最後，亨廷頓指出，由於斷層線戰爭是間斷性的，斷層線衝突是無休止的，因此永久性地結束斷層線戰爭是不可能的，而只能暫時性地休止斷層線衝突。這通常需要主要參與者的疲憊衰竭和作戰主要參與者的積極介入。休止斷層線戰爭，阻止它們升級為全球戰爭，主要依靠世界主要文明核心國的利益和行動。斷層線戰爭自下而上，斷層線和平卻只能自上而下。

黃安年

●　●　●

近代美國歷史發展的特點

在近代美國歷史發展中，有著 5 個相互聯繫和影響的明顯特點。

1.年輕快速富有活力的新興強國。和世界其它大國相比，美國的歷史最短、最年輕。英國的歷史已有 1300 多年，法國有 1500 年，俄國有 1000 多年，德國有 1000 多年，日本有 1700 多年，美國只有 215 年。就經濟發展的程度來說，美國不僅快速發展，而且充滿活力。在早期和近代美國，它經歷了兩個快速發展時期。

從 17 世紀初到 18 世紀上半期，在不到一個半世紀的時間內，北美大陸大西洋沿岸由土著印第安人的母系氏族社會階段過渡為 13 個殖民地帶依附性的資本主義社會，跨過了奴隸制度階段和封建制度階段，這兩個社會階段在歐洲國家通常都要有千年以上的過渡期，在中國更有幾千年的歷史。從 1815—1894 年的 80 年間，美國不僅完成了近代工業化，而且從一個年輕的發展中國家一躍而成為世界第一經濟大國，超過了當年英、法的發展速度。

2.外來移民持續不斷的國家。美國是一個外來移民的國家，從 17 世紀初迄今，來自世界各國的移民共 5300 多萬人，相當於 1790 年美國全國人口的 13 · 2 倍。自合眾國成立以來，外來移民活動遍及世界各個角落，由歐洲擴大到全世界，其規模之大、範圍之廣、持續時間之長、影響之深，在世界移民史上是罕見的。僅就移民國家來說，除

加拿大、澳大利亞外，任何大國概不具備這一特點。外來移民史，主要是美國人民，特別是來自世界各地人民開發北美、建設北美的歷史。外來移民潮經過本世紀 20—40 年代緩慢發展後，迄今仍在此伏彼起，影響著社會生活的各個方面。

外來移民潮對於美利堅民族的形成和發展有深遠影響。由「異族人民移居在一塊全新土地上」的美利堅民族，是「比任何一個民族都要精力充沛的民族」。美利堅民族在發展中逐漸形成了講求實際、革新進取、不尚保守的精神。外來移民對於早期美國的開發和近代工業化的完成也作出了重要貢獻。這表現為以英格蘭移民為主體的西歐白人很快取代土著印第安人成為開發北美的主導力量；大批黑人強制移民成為開發南部殖民地的重要勞動力；眾多的歐洲白人移民帶來了先進的生產力和生產關係，在美國兩次資產階級革命中，外來移民起了先鋒作用；在近代工業化過程中，外來移民提供了豐富的勞動力和廣闊的國內市場，也奉獻了大批熟練技術人員和思想文化精英；移民還是西進運動的主力軍，並豐富了美國的宗教、教育和思想文化藝術。

3.資產階級民主共和制的典型國家。在資產階級統治的國家中，美國是民主共和制的典型。首先，美國具有典型的資產階級民主共和制形式。其次，近代美國人民有著爭取獨立、自由、民主的優良傳統。第三，近代美國政治生活中的資產階級民主和改良傳統。

4.資本主義商品經濟充分發展的國家。美國資本主義經歷了早期商業資本主義，近代自由資本主義和工業資本主義以及現代壟斷資本主義的發展過程。美國的歷史條件和美國政府的政策，為自由資本主義的發展創造了最為有利的條件。

5.對外開放和社會機制不斷調整的國家。美國社會經濟發展的每一階段都和開放相聯繫。自由資本主義的產生與引進自歐洲特別是英國的資本主義、自由資本主義的發展和西進運動、大陸擴張緊密相連。外來移民對美國發展的各個方面產生深遠影響，國內移民的多樣性、流動性使美國經濟顯出相當活力，對外貿易在經濟發展中佔有重要地位。對外政策中也顯示了門戶開放式的特點。

美國不僅是一個外來移民的國家，而且是一個國內居民頻繁流動的王國。它是商品經濟高度發展和連續不斷外來移民的產物，又是推動美國經濟發展的重要動因。這種良性迴圈，從一個方面反映了開放型美國的歷史特點。美國居民的頻繁流動性，既表現為居民遷移分佈的不斷變化，也表現為城市化的迅速發展和城鄉居民人口比例分配的急劇調整。導致人口流動高遷移率的基本原因是商品經濟的高度發展提供了客觀經濟前提，西進運動和領土擴張成為強大推動力，近代工業化有力地促進了人口的流動，交通運輸和通訊事業的發展有利於人口的迅速遷移，自由市場經濟機制對個人和企業流動的較少限制，特別是 19 世紀存在廣闊的西部自由土地以及美利堅民族追求新生事物、酷好流動的特性。這種人口流動有利於社會經濟活力的加速運轉，有利於社會經濟生活的多樣化和思想文化的多元化，有利於美利堅合眾國各個地區的協調和整體發展，也有利於人口素質的提高。

（節選自黃安年《美國近代歷史發展的基本線索和特點》，中國社會科學出版社 1992 年版）

編選說明 ●●●

　　黃安年（1936—），江蘇省武進縣人，北京師範大學歷史系教授，1991—1992 年赴美國紐約州立奧伯尼大學學術訪問。作者長期從事美國近現代史研究，其代表性著作有：《美國社會經濟史論》《20世紀美國史》等。《美國的崛起（17—19 世紀的美國）》一書，敘述了 17—19 世紀美國社會經濟狀況、政治制度演變、內政改革、科學技術、宗教文化等方面的歷史事實及發展特點，並對社會思潮、外交原則及重要戰爭作了分析和研究。本文所選文字對美國近代歷史發展的特點進行了系統總結，有助於我們瞭解美國和美利堅民族。

擴展閱讀 ●●●

1.〔英〕布羅代爾：《菲力浦二世時代的地中海和地中海世界》，商務印書館 1998 年版
2.〔法〕托克維爾：《舊制度與大革命》，商務印書館 1997 年版
3.〔英〕柯林武德：《歷史的觀念》，商務印書館 1997 年版
4.〔美〕柯文：《在中國發現歷史》，中華書局 2002 年版
5.〔美〕黃宗智：《長江三角洲小農家庭與鄉村發展》，中華書局 2000 年版
6.〔意〕馬基雅維里著，李活譯：《佛羅倫斯史》，商務印書館 1982 年版
7.〔德〕馬克斯·韋伯，黃曉京等譯：《新教倫理與資本主義精神》，四川

人民出版社 1986 年版

8.〔美〕威廉·夏伊勒著，董樂山等譯：《第三帝國的興亡》，三聯書店
1974 年版

二 ••• 中國古代史論

孫武

••••

戰略決策成功之本

　　孫子曰：兵者，國之大事，死生之地，存亡之道，不可不察也。

　　故經之以五事，校之以計而索其情：一曰道，二曰天，三曰地，四曰將，五曰法。

　　道者，令民與上同意也，故可以與之死，可以與之生，而不畏危。天者，陰陽、寒暑、時制也。地者，遠近、險易、廣狹、死生也。將者，智、信、仁、勇、嚴也。法者，曲制、官道、主用也。凡此五者，將莫不聞，知之者勝，不知者不勝。

　　故校之以計，而索其情。曰：主孰有道？將孰有能？天地孰得？法令孰行？兵眾孰強？士卒孰練？賞罰孰明？吾以此知勝負矣。將聽吾計，用之必勝，留之；將不聽吾計，用之必敗，去之。

　　計利以聽，乃為之勢，以佐其外。勢者，因利而制權也。

　　兵者，詭道也。故能而示之不能，用而示之不用，近而示之遠，

遠而示之近。利而誘之，亂而取之，實而備之，強而避之，怒而撓之，卑而驕之，佚而勞之，親而離之。攻其無備，出其不意。此兵家之勝，不可先傳也。

　　夫未戰而廟算勝者，得算多也；未戰而廟算不勝者，得算少也。多算勝，少算不勝，而況於無算乎？吾以此觀之，勝負見矣。

（節選自《孫子兵法‧始計篇》）

編選說明 ●●●

　　《孫子兵法‧始計篇》的中心是講戰略決策。《始計篇》對廟算決策要計算評估的內容、範圍，應該遵循的原則、方法等問題都作了精闢的分析。其結構分為四大部分：引論、決策論、策略論和結論。引論概括性提出《始計篇》要研究的主要問題是「地」和「道」，即對戰略環境的分析決斷和取勝的方法策略問題。決策論講「五事七計」的戰略分析和「選將造勢」的戰略安排，對應於「地」的內容，是「正則」。策略論講「詭道十二法」，對應於「道」的內容，是「奇變」。最後講結論，說明廟算決策模式的功能、作用和主要特點。全篇結構明確，層次清楚，邏輯性強，成為古代科學論文的光輝典範。許多相當於現代決策的科學做法至今仍閃現著耀眼的光輝，對現代軍事決策和決策研究都具有重要的指導意義和參考價值。

孫武

● ● ●

兵馬未動糧草先行

孫子曰：凡用兵之法，馳車千駟，革車千乘，帶甲十萬，千里饋糧，則內外之費，賓客之用，膠漆之材，車甲之奉，日費千金，然後十萬之師舉矣。

其用戰也勝，久則頓兵挫銳，攻城則力屈，久暴師則國用不足。夫頓兵挫銳，屈力殫貨，則諸侯乘其弊而起，雖有智者，不能善其後矣。故兵聞拙速，未睹巧之久也。夫兵久而國利者，未之有也。故不盡知用兵之害者，則不能盡知用兵之利也。

善用兵者，役不再籍，糧不三載，取用於國，因糧於敵，故軍食可足也。

國之貧於師者遠輸，遠輸則百姓貧。近於師者貴賣，貴賣則百姓財竭，財竭則急於丘役。力屈、財殫，中原內虛於家。百姓之費，十去其七；公家之費，破車罷馬，甲冑矢弩，戟盾蔽櫓，丘牛大車，十去其六。

故智將務食於敵，食敵一鍾，當吾二十鍾；芑稈一石，當吾二十石。

故殺敵者，怒也；取敵之利者，貨也。故車戰，得車十乘已上，賞其先得者，而更其旌旗，車雜而乘之，卒善而養之，是謂勝敵而益強。

故兵貴勝，不貴久。

故知兵之將，生民之司命，國家安危之主也。

（節選自《孫子兵法・作戰》）

編選説明 ●●●

　　《孫子兵法》，中國古代著名的兵書，作戰篇主要談戰爭的物質基礎，及其速戰速決的原則。説明物資才是用兵的根本基礎，沒有了物資就無從談戰爭，人力、物資的多寡是勢力強弱的尺規，是戰爭力量對比的主要因素。大兵法家孫武在分析用兵作戰時首先注重的是物資準備、配備問題，這才是戰爭中一切準備工作的重心，而且在這方面你要力求仔細，項目也要很全，因為如你少一項對戰爭來説都是致關性的，日常工作的重大決策也應該如此。經過兩千五百多年流傳，《孫子兵法》以其獨特的魅力，對人們指導現代戰爭、參與各種社會競爭活動及提高個人素質，仍有指導意義。

左丘明

曹劌論戰

　　十年春，齊師伐我，公將戰。曹劌請見。其鄉人曰：「肉食者謀之，又何間焉？」劌曰：「肉食者鄙，未能遠謀。」乃入見。問：「何以戰？」公曰：「衣食所安，弗敢專也，必以分人。」對曰：「小惠未徧，民弗從也。」公曰：「犧牲玉帛，弗敢加也，必以信。」對曰：「小信未孚，神弗福也。」公曰：「小大之獄，雖不能察，必以情。」對曰：「忠之屬也。可以一戰。戰則請從。」

　　公與之乘，戰於長勺。公將鼓之。劌曰：「未可。」齊人三鼓。劌曰：「可矣。」齊師敗績。公將馳之。劌曰：「未可。」下視其轍，登軾而望之，曰：「可矣。」遂逐齊師。

　　既克，公問其故。對曰：「夫戰，勇氣也。一鼓作氣，再而衰，三而竭。彼竭我盈，故克之。夫大國，難測也，懼有伏焉。吾視其轍亂，望其旗靡，故逐之。」

（節選自《左傳‧莊公十年》）

編選說明 ●●●

　　《曹劌論戰》出自《左傳‧莊公十年》，講述了曹劌在長勺之戰

中對此次戰爭的一番評論，並在戰時活用「一鼓作氣，再而衰，三而竭」的原理擊退強大的齊軍的史實。題目是後人所加。本文又題作「齊魯長勺之戰」或「長勺之戰」。長勺之戰發生在公元前 684 年，是歷史上以弱勝強的著名戰例之一。

《左傳》是一部文學名著和史學名著，傳說是春秋時期左丘明（由於左丘明雙眼失明，而史記中，「左丘」與「明」之間有一塊破損，所以也有可能叫左丘。近人認為是戰國時人所編）根據魯國史料編寫的編年體史書，《左傳》是中國最早一部記事詳備、文辭優美的編年體史書。以魯國的十二公紀年，具有很高的文獻價值。記事起於魯隱公元年（前 722 年）止於魯哀公四年（前 453 年），記載這一時期（春秋時期）各諸侯國的政治、經濟、軍事、外交、文化等方面的情況。書中保存了大量古代史料，文字優美，尤善於描寫戰爭及複雜事件，又善於通過對話和行動描寫表現人物的性格特徵，對後代散文的發展有很大的影響。

左丘明

臥薪嚐膽

　　越王句踐棲於會稽之上，乃號令於三軍曰：「凡我父兄昆弟及國子姓，有能助寡人謀而退吳者，吾與之共知越國之政。」大夫種進對曰：「臣聞之：賈人夏則資皮，冬則資絺，旱則資舟，水則資車，以待乏也。夫雖無四方之憂，然謀臣與爪牙之士，不可不養而擇也。譬如蓑笠，時雨既至，必求之。今君王既棲於會稽之上，然後乃求謀臣，無乃後乎？」句踐曰：「苟得聞子大夫之言，何後之有？」執其手而與之謀。

　　遂使之行成於吳，曰：「寡君句踐乏無所使，使其下臣種，不敢徹聲聞於大王，私於下執事曰：寡君之師徒不足以辱君矣；願以金玉、子女賂君之辱。請句踐女女於王，大夫女女於大夫，士女女於士；越國之寶器畢從！寡君帥越國之眾以從君之師徒。唯君左右之，若以越國之罪為不可赦也，將焚宗廟，係妻孥，沈金玉於江；有帶甲五千人，將以致死，乃必有偶，是以帶甲萬人事君也，無乃即傷君王之所愛乎？與其殺是人也，寧其得此國也，其孰利乎？」

　　夫差將欲聽，與之成。子胥諫曰：「不可！夫吳之與越也，仇讎敵戰之國也；三江環之，民無所移。有吳則無越，有越則無吳。將不可改於是矣！員聞之：陸人居陸，水人居水，夫上黨之國，我攻而勝之，吾不能居其地，不能乘其車；夫越國，吾攻而勝之，吾能居其

地，吾能乘其舟。此其利也，不可失也已。君必滅之！失此利也，雖悔之，必無及已。」

越人飾美女八人，納之太宰嚭，曰：「子苟赦越國之罪，又有美於此者將進之。」太宰嚭諫曰：「嚭聞古之伐國者，服之而已；今已服矣，又何求焉？」夫差與之成而去之。

句踐說於國人曰：「寡人不知其力之不足也，而又與大國執仇，以暴露百姓之骨於中原，此則寡人之罪也。寡人請更。」於是葬死者，問傷者，養生者；弔有憂，賀有喜；送往者，迎來者；去民之所惡，補民之不足。然後卑事夫差，宦士三百人於吳，其身親為夫差前馬。

句踐之地，南至於句無，北至於御兒，東至於鄞，西至於姑蔑，廣運百里，乃致其父母昆弟而誓之，曰：「寡人聞，古之賢君，四方之民歸之，若水之歸下也。今寡人不能，將帥二三子夫婦以蕃。」令壯者無取老婦，令老者無取壯妻；女子十七不嫁，其父母有罪；丈夫二十不取，其父母有罪。將免者以告，公令醫守之。生丈夫，二壺酒，一犬；生女子，二壺酒，一豚；生三人，公與之母；生二子，公與之餼。當室者死，三年釋其政；支子死，三月釋其政；必哭泣葬埋之如其子。令孤子、寡婦、疾疹、貧病者，納宦其子。其達士，潔其居，美其服，飽其食，而摩厲之於義。四方之士來者，必廟禮之。句踐載稻與脂於舟以行。國之孺子之游者，無不哺也，無不歠也：必問其名。非其身之所種則不食，非其夫人之所織則不衣。十年不收於國，民俱有三年之食。

國之父兄請曰：「昔者夫差恥吾君於諸侯之國，今越國亦節矣，

請報之。」句踐辭曰：「昔者之戰也，非二三子之罪也，寡人之罪也。如寡人者，安與知恥？請姑無庸戰。」父兄又請曰：「越四封之內，親吾君也，猶父母也。子而思報父母之仇，臣而思報君之仇，其有敢不盡力者乎？請復戰！」句踐既許之，乃致其眾而誓之，曰：「寡人聞古之賢君，不患其眾之不足也，而患其志行之少恥也。今夫差衣水犀之甲者億有三千，不患其志行之少恥也，而患其眾之不足也。今寡人將助天滅之。吾不欲匹夫之勇也，欲其旅進旅退。進則思賞，退則思刑；如此，則有常賞。進不用命，退則無恥；如此，則有常刑。」果行，國人皆勸。父勉其子，兄勉其弟，婦勉其夫，曰：「孰是君也，而可無死乎？」是故敗吳於囿，又敗之於沒，又郊敗之。

　　夫差行成，曰：「寡人之師徒不足以辱君矣！請以金玉子女，賂君之辱！」句踐對曰：「昔天以越予吳，而吳不受命；今天以吳予越，越可以無聽天命而聽君之令乎？吾請達王甬、句東，吾與君為二君乎！」夫差對曰：「寡人禮先壹飯矣。君若不忘周室而為弊邑寰宇，亦寡人之願也。君若曰：『吾將殘汝社稷，滅汝宗廟』，寡人請死！余何面目以視於天下乎？越君其次也！」遂滅吳。

（節選自《國語·越語·句踐滅吳》）

編選說明 ● ● ●

　　《國語》是中國先秦一部著名史書，同時也是一部著名的史傳文

學著作，不僅具有很高的史學價值，也具有很高的文學價值，歷來受
到人們的重視。本篇出自《國語‧越語‧句踐滅吳》，是勵志的重要
名篇。

呂不韋

執政為民國事萬興

　　越王苦會稽之恥，欲深得民心，以致必死於吳。身不安枕席，口不甘厚味，目不視靡曼，耳不聽鐘鼓。三年苦身勞力，焦唇乾肺。內親群臣，下養百姓，以來其心。有甘肥不足分，弗敢食；有酒流之江，與民同之。身親耕而食，妻親織而衣。味禁珍，衣禁襲，色禁二。時出行路，從車載食，以視孤寡老弱之潰病、困窮、顏色愁悴、不贍者，必身自食之。於是屬諸大夫而告之，曰：「願一與吳微天下之衷。今吳、越之國，相與俱殘，士大夫履肝肺，同日而死，孤與吳王接頸交臂而償，此孤之大願也。若此而不可得也，內量吾國不足以傷吳，外事之諸侯不能害之，則孤將棄國家，釋群臣，服劍臂刃，變容貌，易名姓，執箕帚而臣事之，以與吳王爭一旦之死。孤雖知要領不屬，首足異處，四枝布裂，為天下戮，孤之志必將出焉。」於是，異日果與吳戰於五湖，吳師大敗，遂大圍王宮，城門不守，禽夫差，戮吳相，殘吳二年而霸。此先順民心也。

（節選自《呂氏春秋・順民》）

編選說明 ●●●

　　《呂氏春秋‧順民》以越王句踐為報吳滅其國之仇,「身親耕而食,妻親織而衣」,「內親群臣,下養百姓,以來其心」,順應民心,團結一致,同仇敵愾,最終擒吳王夫差,稱霸中原的事例,說明順應民心、親民的重要性。這也是先秦民本思想的重要體現,寓意非常深遠。

呂不韋

賞罰分明

　　秦小主夫人用奄變，群賢不說自匿，百姓郁怨非上。公子連亡在魏，聞之，欲入，因群臣與民從鄭所之塞。右主然守塞，弗入，曰：「臣有義，不兩主。公子勉去矣。」公子連去，入翟，從焉氏塞，菌改入之。夫人聞之，大駭，令吏興卒，奉命曰：「寇在邊。」卒與吏其始發也，皆曰「往擊寇」。中道因變曰：「非擊寇也，迎主君也。」公子連因與卒俱來，至雍，圍夫人，夫人自殺。公子連立，是為獻公，怨右主然而將重罪之，德菌改而欲厚賞之。監突爭之曰：「不可。秦公子之在外者眾，若此則人臣爭入亡公子矣。此不便主。」獻公以為然，故復右主然之罪，而賜菌改官大夫，賜守塞者人米二十石。獻公可謂能用賞罰矣。凡賞非以愛之也，罰非以惡之也，用觀歸也。所歸善，雖惡之，賞；所歸不善，雖愛之，罰；此先王之所以治亂安危也。

（節選自《呂氏春秋・當賞》）

編選說明 ●●●

　　《呂氏春秋》是秦相呂不韋召集門下食客三千人所著。以易學、

陰陽、五行、干支文化思想為總綱，融合眾家所長、形成了包括政治、經濟、哲學、道德、軍事、農業各方面的理論體系，肯定並尊崇揆天道、察地道、覽人情的順天應人思想，同時又更加主張去主動利用天時、地利、人和等因素，積極有為地進行社會活動。全書共分為十二紀、八覽、六論，共三個部分，二十六卷，一百六十篇，約二十萬字。十二紀主要論述天時，八覽主要論述人事，六論則主要闡釋地理。知識範圍涉及易學、陰陽、五行、干支、養生、軍事學、政治學、音律、星象、農業生產、氣象、自然、歷史、地理、工藝、機械等多個方面。《呂氏春秋》對諸子百家兼收並蓄，因而保存了各家的思想資料，成為先秦思想的資料彙編，許多古代的遺文佚事也靠它得以保存。如今，它已經經歷了兩千多年的光陰，是中華民族的一份珍貴遺產。

黃石公

人賢政興

　　夫能扶天下之危者，則據天下之安。能除天下之憂者，則享天下之樂。能救天下之禍者，則獲天下之福。故澤及於民，則賢人歸之；澤及昆蟲，則聖人歸之。賢人歸，則其國強。聖人所歸，則六合同。求賢以德，致以道。賢去，則國微。聖去，則國乖。微者危之階，乖者亡之微。

　　賢人之政，降人以體，聖人之政，降人以心。體降可以圖始，心降可以保終。降體以禮，降心以樂。所謂樂者，非金石絲竹也，謂人樂其家，謂人樂其族，謂人樂其業，謂人樂其都邑，謂人樂其政令，謂人樂其道德，如此君人者，乃作樂以節之，使不失其和。故有德之君，以樂樂人。無德之君，以樂樂身。樂人者，久而長，樂身者，不久而亡。

　　釋近謀遠者，勞而無功。釋遠謀近者，佚而有終。佚政多忠臣，勞政多怨民。故曰，務廣地者荒，務廣德者強。能有其有者安，貪人之有者殘。殘滅之政，累世受患。造作過制，雖成必敗。

　　捨己而教人者逆，正己而教人者順。逆者亂之招，順者治之要。

　　道、德、仁、義、禮，五者一體也。道者人之所蹈，德者人之所得，仁者人之所親，義者人之所宜，禮者人之所體，不可無一焉。故夙興夜寐，禮之制也。討賊報仇，義之決也。惻隱之心，仁之發也。

得己得人，德之路也。使人均平，不失其所，道之化也。

出君下臣名曰命，施於竹帛名曰令，奉而行之名曰政。夫命失，則令不行。令不行，則政不正。政不正，則道不通。道不通，則邪臣勝。邪臣勝，則主威傷。

千里迎賢，其路遠，致不肖，其路近。是以明王舍近而取遠，故能全功尚人，而下盡力。

廢一善，則眾善衰。賞一惡，則眾惡歸。善者得其祐，惡者受其誅，則國安而眾善至。

眾疑無定國。眾惑無治民。疑定惑還，國乃可安。

一令逆則百令失，一惡施則百惡結。故善施於順民，惡加於凶民，則令行而無怨。使怨治怨，是謂逆天。使仇治仇，其禍不救。治民使平，致平以清，則民得其所而天下寧。

犯上者尊，貪鄙者富，雖有聖王，不能致其治。犯上者誅，貪鄙者拘，則化行而眾惡消。清白之士，不可以爵祿得。節義之士，不可以威刑脅。故明君求賢，必觀其所以而致焉。致清白之士，修其禮。致節義之士，修其道。而後士可致，而名可保。

夫聖人君子，明盛衰之源，通成敗之端，審治亂之機，知去就之節，雖窮不處亡國之位，雖貧不食亂邦之祿。潛名抱道者，時至而動，則極人臣之位。德合於己，則建殊絕之功。故其道高而名揚於後世。

聖王之用兵，非樂之也，將以誅暴討亂也。夫以義誅不義，若決江河而溉爝火，臨不測而擠欲墮，其克必矣。所以優遊恬淡而不進者，重傷人物也。夫兵者，不祥之器，天道惡之。不得已而用之，是

天道也。夫人之在道，若魚之在水，得水而生，失水而死。故君子者常畏懼而不敢失道。

豪傑秉職，國威乃弱。殺生在豪傑，國勢乃竭。豪傑低首，國乃可久。殺生在君，國乃可安。四民用虛國乃無儲。四民用足，國乃安樂。

賢臣內，則邪臣外。邪臣內，則賢臣斃。內外失宜，禍亂傳世。

大臣疑主，眾奸集聚。臣當君尊，上下乃昏。君當臣處，上下失序。

傷賢者，殃及三世。蔽賢者，身受其害。嫉賢者，其名不全。進賢者，福流子孫。故君子急於進賢而美名彰焉。

利一害百，民去城郭。利一害萬，國乃思散。去一利百，人乃幕澤。去一利萬，政乃不亂。

（節選自黃石公《三略‧下略》）

編選說明 ●●●

黃石公《三略》古代著名的兵書，共分上、中、下三略：《上略》多引《軍讖》語，主要通過對「設禮常，別奸雄，著成敗」的分析，論述以「柔弱勝剛強」為指導、以收攬人心為中心，以「任賢擒敵」為宗旨的治國統軍的戰略思想及其實現的方法。《中略》多引《軍勢》語，主要通過「差德行，審權變」，論述君主馭將統眾的謀略。《下略》主要內容是「陳道德，察安危，明賊賢之咎」；主要是論述「人」

和「政」的重要，以說明盛衰的根源，國家的綱紀。強調：「人」重聖賢，重道德；「政」重禮樂，重教化。

韓非
安危之道

●●●

　　安術有七，危道有六。

　　安術：一曰，賞罰隨是非；二曰，禍福隨善惡；三曰，死生隨法度；四曰，有賢不肖而無愛惡；五曰，有愚智而無非譽；六曰，有尺寸而無意度；七曰，有信而無詐。

　　危道：一曰，斫削於繩之內；二曰，斫割於法之外：三曰，利人之所害；四曰，樂人之所禍；五曰，危人之所安；六曰，所愛不親，所惡不疏。如此，則人失其所以樂生，而忘其所以重死。人不樂生，則人主不尊；不重死，則令不行也。

　　使天下皆極智慧於儀表，盡力於權衡，以動則勝，以靜則安。治世使人樂生於為是，愛身於為非，小人少而君子多，故社稷常立，國家久安。奔車之上無仲尼，覆舟之下無伯夷。故號令者，國之舟車也。安則智廉生，危則爭鄙起。

　　故安國之法，若饑而食，寒而衣，不令而自然也。先王寄理於竹帛。其道順，故後世服。今使人飢寒去衣食，雖賁、育不能行；廢自然，雖順道而不立。強勇之所不能行，則上不能安。上以無厭責已盡，則下對「無有」；無有，則輕法。法所以為國也，而輕之，則功不立，名不成。

　　聞古扁鵲之治其病也，以刀刺骨；聖人之救危國也，以忠拂耳。

刺骨，故小痛在體而長利在身；拂耳，故小逆在心而久福在國。故甚病之人利在忍痛，猛毅之君以福拂耳。忍痛，故扁鵲盡巧；拂耳，則子胥不失，壽安之術也。病而不忍痛，則失扁鵲之巧；危而不拂耳，則失聖人之意。如此，長利不遠垂，功名不久立。

　　人主不自刻以堯而責人臣以子胥，是幸殷人之盡如比干；盡如比干，則上不失，下不亡。不權其力而有田成，而幸其身盡如比干，故國不得一安。廢堯、舜而立桀、紂，則人不得樂所長而憂所短。失所長，則國家無功；守所短，則民不樂生。以無功御不樂生，不可行於齊民。如此，則上無以使下，下無以事上。

　　安危在是非，不在於強弱。存亡在虛實，不在於眾寡。故齊，萬乘也，而名實不稱，上空虛於國，內不充滿於名實，故臣得奪主。桀，天子也，而無是非；賞於無功，使讒諛，以詐偽為貴；誅於無罪，使傴以天性剖背。以詐偽為是，天性為非，小得勝大。

　　明主堅內，故不外失。失之近而不亡於遠者無有。故周之奪殷也，拾遺於庭，使殷不遺於朝，則周不敢望秋毫於境。而況敢易位乎？明主之道忠法，其法忠心，故臨之而法，去之而思。堯無膠漆之約於當世而道行，舜無置錐之地於後世而德結。能立道於往古而垂德於萬世者之謂明主。

（節選自《韓非子‧安危》）

編選說明 ● ● ●

　　《韓非子》的作者是戰國末期韓國人韓非。韓非（前 280—前 233），先秦晚期思想家，法家思想的集大成者，被譽為先秦最後一個思想家，他的思想對秦漢以後的中國的政治思想產生了極其深遠的影響，是中國古代最具影響力的著名思想家之一。本篇出自《韓非子‧安危》，討論安危之道，是一篇重要的政論文獻。

賈誼

治安策

　　臣竊惟事勢，可為痛哭者一，可為流涕者二，可為長太息者六，若其它背理而傷道者，難遍以疏舉。進言者皆曰天下已安已治矣，臣獨以為未也。曰安且治者，非愚則諛，皆非事實知治亂之體者也。夫抱火厝之積薪之下而寢其上，火未及燃，因謂之安，方今之勢，何以異此！本末舛逆，首尾衡決，國制搶攘，非甚有紀，胡可謂治！陛下何不一令臣得熟數之於前，因陳治安之策，試詳擇焉！

　　夫射獵之娛，與安危之機孰急？使為治勞智慮，苦身體，乏鐘鼓之樂，勿為可也。樂與今同，而加之諸侯軌道，兵革不動，民保首領，匈奴賓服，四荒鄉風，百姓素樸，獄訟衰息。大數既得，則天下順治，海內之氣，清和咸理，生為明帝，沒為明神，名譽之美，垂於無窮。《禮》祖有功而宗有德，使顧成之廟稱為太宗，上配太祖，與漢亡極。建久安之勢，成長治之業，以承祖廟，以奉六親，至孝也；以幸天下，以育群生，至仁也；立經陳紀，輕重同得，後可以為萬世法程，雖有愚幼不肖之嗣，猶得蒙業而安，至明也。以陛下之明達，因使少知治體者得佐下風，致此非難也。其具可素陳於前，願幸無忽。臣謹稽之天地，驗之往古，按之當今之務，日夜念此至孰也，雖使禹舜復生，為陛下計，亡以易此。

　　夫樹國固，必相疑之勢，下數被其殃，上數爽其憂，甚非所以安

上而全下也。今或親弟謀為東帝，親兄之子西鄉而擊，今吳又見告矣。天子春秋鼎盛，行義未過，德澤有加焉，猶尚如是，況莫大諸侯，權力且十此者虖！然而天下少安，何也？大國之王幼弱未壯，漢之所置傅相方握其事。數年之後，諸侯之王大抵皆冠，血氣方剛，漢之傅相稱病而賜罷，彼自丞尉以上偏置私人，如此，有異淮南、濟北之為邪！此時而欲為治安，雖堯舜不治。黃帝曰：「日中必『上彗下火』會，操刀必割。」今令此道順而全安，甚易，不肯早為，已乃墮骨肉之屬而抗剄之，豈有異秦之季世虖！

夫以天子之位，乘今之時，因天之助，尚憚以危為安，以亂為治，假設陛下居齊桓之處，將不合諸侯而匡天下乎？臣又以知陛下有所必不能矣。假設天下如曩時，淮陰侯尚王楚，黥布王淮南，彭越王梁，韓信王韓，張敖王趙，貫高為相，盧綰王燕，陳豨在代，令此六七公者皆亡恙，當是時而陛下即天子位，能自安乎？臣有以知陛下之不能也。天下殽亂，高皇帝與諸公並起，非有仄室之勢以豫席之也。諸公幸者，乃為中涓，其次廑得舍人，材之不逮至遠也。高皇帝以明聖威武即天子位，割膏腴之地以王諸公，多者百餘城，少者乃三四十縣，恩至渥也，然其後十年之間，反者九起。陛下之與諸公，非親角材而臣之也，又非身封王之也，自高皇帝不能以是一歲為安，故臣知陛下之不能也。

然尚有可諉者，曰疏，臣請試言其親者。假令悼惠王王齊，元王王楚，中子王趙，幽王王淮陽，共王王梁，靈王王燕，厲王王淮南，六七貴人皆亡恙，當是時陛下即位，能為治虖？臣又知陛下之不能也。若此諸王，雖名為臣，實皆有布衣昆弟之心，慮亡不帝制而天子

自為者。擅爵人，赦死罪，甚者或戴黃屋，漢法令非行也。雖行不軌如厲王者，令之不肯聽，召之安可致乎！幸而來至，法安可得加！動一親戚，天下圜視而起，陛下之臣雖有悍如馮敬者，適啟其口，匕首已陷其匈矣。陛下雖賢，誰與領此？故疏者必危，親者必亂，已然之效也。其異姓負強而動者，漢已幸勝之矣，又不易其所以然。同姓襲是跡而動，既有徵矣，其勢盡又復然。殃禍之變，未知所移，明帝處之尚不能以安，後世將如之何！……

天下之勢，方病大瘇。一脛之大幾如要，一指之大幾如股，平居不可屈信，一二指搐，身慮亡聊。失今不治，必為錮疾，後雖有扁鵲，不能為已。病非徒瘇也，又苦蹠盭。元王之子，帝之從弟也；今之王者，從弟之子也。惠王，親兄子也；今之王者，兄子之子也。親者或亡分地以安天下，疏者或制大權以逼天子，臣故曰非徒病瘇也，又苦蹠盭。可痛哭者，此病是也。

天下之勢方倒縣。凡天子者，天下之首，何也？上也。蠻夷者，天下之足，何也？下也。今匈奴嫚　侵掠，至不敬也，為天下患，至亡已也，而漢歲金絮採繒以奉之。夷狄徵令，是主上之操也；天子共貢，是臣下之禮也。足反居上，首顧居下，倒縣如此，莫之能解，猶為國有人乎？非直倒縣而已，又類㋮，且病痱。夫㋮者一面病，痱者一方痛。今西邊北邊之郡，雖有長爵不輕得復，五尺以上不輕得息，斥候望烽燧不得臥，將吏被介胄而睡，臣故曰一方病矣。醫能治之，而上不使，可為流涕者此也。

陛下何忍以帝皇之號為戎人諸侯，勢既卑辱，而禍不息，長此安窮！進謀者率以為是，固不可解也，亡具甚矣。臣竊料匈奴之眾不過

漢一大縣，以天下之大困於一縣之眾，甚為執事者羞之。陛下何不試以臣為屬國之官以主匈奴？行臣之計，請必係單于之頸而制其命，伏中行說而笞其背，舉匈奴之眾唯上之令。今不獵猛敵而獵田彘，不搏反寇而搏畜菟，玩細娛而不圖大患，非所以為安也。德可遠施，威可遠加，而直數百里外威令不信，可為流涕者此也。……

（節選自賈誼《治安策》）

編選説明 ●●●

　　賈誼（前 200—前 168），西漢時期洛陽（今河南省洛陽市東）人。由於當過長沙王太傅，故世稱賈太傅，賈生，賈長沙。漢朝著名的思想家、文學家。其政論文《過秦論》《論積貯疏》《治安策》等，在歷史上有很高的地位。

　　賈誼的《治安策》主要針對地方諸侯王的問題、北方匈奴問題、商人經濟力量的膨脹以及其它政治問題，以及經濟、軍事等問題提出了自己的看法。

　　賈誼的《治安策》的可貴之處，在於能居安思危，能敏鋭地發現皇權和王權的矛盾問題，並提出解決辦法。《治安策》是一篇有深遠影響的謀略奇文，正如毛澤東所説的：「《治安策》一文是西漢一代最好的政論，賈誼於南放歸來著此，除論太子一節近於迂腐以外，全文切中當時事理，有一種頗好的氣氛，值得一看。」（參見《毛澤東書信選集》第 539 頁）。賈誼一生短暫，但在這短暫的一生中，他卻

留下了文采斐的然散文和辭賦，特別是他的奏疏，文辭暢美，見解獨到深刻，劉勰在《文心雕龍‧奏啟》稱其奏疏是「理既切至，辭亦通暢，可謂識大體矣。」這是很有道理的，時至今日，我們重讀他的《過秦論》《治安策》和《論積貯疏》，仍大有啟發。

司馬遷

●　●　●

傳說中的「英雄時代」

　　黃帝者，少典之子，姓公孫，名曰軒轅。生而神靈，弱而能言，幼而徇齊，長而敦敏，成而聰明。

　　軒轅之時，神農氏世衰。諸侯相侵伐，暴虐百姓，而神農氏弗能征。於是軒轅乃慣用干戈，以征不享，諸侯咸來賓從。而蚩尤最為暴，莫能伐。炎帝欲侵陵諸侯，諸侯咸歸軒轅。軒轅乃修德振兵，治五氣，藝五種，撫萬民，度四方，教熊羆貔貅貙虎，以與炎帝戰於阪泉之野。三戰，然後得其志。蚩尤作亂，不用帝命。於是黃帝乃徵師諸侯，與蚩尤戰於涿鹿之野，遂禽殺蚩尤。而諸侯咸尊軒轅為天子，代神農氏，是為黃帝。天下有不順者，黃帝從而徵之，平者去之，披山通道，未嘗寧居。

　　帝顓頊高陽者，黃帝子孫而昌意之子也。靜淵以有謀，疏通而知事；養材以任地，載時以象天，依鬼神以制義，治氣以教化，絜誠以祭祀。北至於幽陵，南至於交阯，西至於流沙，東至於蟠木。動靜之物，大小之神，日月所照，莫不砥屬。

　　帝顓頊生子曰窮蟬。顓頊崩，而玄囂之孫高辛立，是為帝嚳。

　　高辛生而神靈，自言其名。普施利物，不於其身。聰以知遠，明以察微。順天之義，知民之急。仁而威，惠而信，修身而天下服。取地之財而節用之，撫教萬民而利誨之，曆日月而迎送之，明鬼神而敬

事之。其色鬱鬱，其德嶷嶷。其動也時，其服也士。帝嚳溉執中而遍天下，日月所照，風雨所至，莫不從服。

帝堯者，放勳。其仁如天，其知如神。就之如日，望之如雲。富而不驕，貴而不舒。黃收純衣，彤車乘白馬。能明馴德，以親九族。九族既睦，便章百姓。百姓昭明，合和萬國。

虞舜者，名曰重華。……冀州之人也。舜耕歷山，漁雷澤，陶河濱，作什器於壽丘，就時於負夏。舜父瞽叟頑，母嚚，弟象傲，皆欲殺舜。舜順適不失子道，兄弟孝慈。欲殺，不可得；即求，嘗在側。

十二牧行而九州莫敢闢違；唯禹之功為大，披九山，通九澤，決九河，定九州，各以其職來貢，不失厥宜。方五千里。至於荒服。南撫交阯、北發，西戎、析枝、渠廋、氐、羌，北山戎、發、息慎，東長、鳥夷，四海之內咸戴帝舜之功。於是禹乃興《九招》之樂，致異物，鳳皇來翔，天下明德皆自虞帝始。

（節選自司馬遷《史記‧五帝本紀》）

編選說明 ● ● ●

《史記》是中國紀傳體史書的創始之作。《五帝本紀》記載的是遠古傳說中相繼為帝的五個部落首領—黃帝、顓頊、帝嚳、堯、舜的事蹟，同時也記錄了當時部落之間頻繁的戰爭，部落聯盟首領實行禪讓，遠古初民戰猛獸、治洪水、開良田、種嘉穀、觀測天文、推算曆法、譜制音樂舞蹈等多方面的情況。中華民族五千年的悠久歷史，就

是從這遠古的傳說開始的，黃帝和炎帝兩個部落的聯合、戰爭，最後融為一體，在黃河流域定居繁衍，從而構成了華夏族的主幹，創造了中國遠古時代的燦爛文化。五帝開創的事業是中華民族幾千年文明史的開端，五帝的傳說，幾千年來深深紮根於中華民族的心裏，他們被當做賢君聖主的楷模歷代傳頌。「炎黃子孫」早已成為凝聚中華民族的親切稱呼，「人皆可以為堯舜」「六億神州盡舜堯」，也早已成為鼓勵人們賢能為善的有力口號。

三皇五帝，傳說中出現在中國夏朝以前的「帝王」。實際上，他們可能都是部落首領，由於實力強大成為部落聯盟的領導者。歷史上，不同史籍對「三皇五帝」有不同的定義。關於三皇：有以下五說：1.伏羲、女媧、神農；2.伏羲、祝融、神農；3.伏羲、神農、共工；4.燧人、伏羲、神農；5.伏羲、神農、黃帝。最後一說出於《尚書》，流傳較廣。關於五帝，也有五種說法：1.黃帝、顓頊、帝嚳、堯、舜；2 伏羲、神農、堯、舜、禹；3.太昊、炎帝、黃帝、少昊、顓頊；4.少昊、顓頊、帝嚳、堯、舜；5.黃帝、少昊、顓頊、帝嚳、堯。第四種說法因《尚書》而流行。

司馬遷

鴻門宴

　　沛公軍霸上，未得與項羽相見。沛公左司馬曹無傷使人言於項羽曰：「沛公欲王關中，使子嬰為相，珍寶盡有之。」項羽大怒曰：「旦日饗士卒，為擊破沛公軍！」當是時，項羽兵四十萬，在新豐鴻門；沛公兵十萬，在霸上。范增說項羽曰：「沛公居山東時，貪於財貨，好美姬。今入關，財物無所取，婦女無所幸，此其志不在小。吾令人望其氣，皆為龍虎，成五采，此天子氣也。急擊勿失。」

　　楚左尹項伯者，項羽季父也，素善留侯張良。張良是時從沛公，項伯乃夜馳之沛公軍，私見張良，具告以事，欲呼張良與俱去，曰：「毋從俱死也。」張良曰：「臣為韓王送沛公，沛公今事有急，亡去不義，不可不語。」良乃入，具告沛公。沛公大驚，曰：「為之奈何？」張良曰：「誰為大王為此計者？」曰：「鯫生說我曰：『距關毋內諸侯，秦地可盡王也。』故聽之。」良曰：「料大王士卒足以當項王乎？」沛公默然，曰：「固不如也。且為之奈何？」張良曰：「請往謂項伯，言沛公不敢背項王也。」沛公曰：「君安與項伯有故？」張良曰：「秦時與臣游，項伯殺人，臣活之；今事有急，故幸來告良。」沛公曰：「孰與君少長？」良曰：「長於臣。」沛公曰：「君為我呼入，吾得兄事之。」張良出，要項伯。項伯即入見沛公。沛公奉卮酒為壽，約為婚姻，曰：「吾入關，秋毫不敢有所近，籍吏民，封府庫，而待將軍。所以遣將守關者，備他盜之出入與非常也。日夜望

將軍至，豈敢反乎！願伯具言臣之不敢倍德也。」項伯許諾，謂沛公曰：「旦日不可不蚤自來謝項王。」沛公曰：「諾。」於是項伯復夜去，至軍中，具以沛公言報項王，因言曰：「沛公不先破關中，公豈敢入乎？今人有大功而擊之，不義也。不如因善遇之。」項王許諾。

　　沛公旦日從百餘騎來見項王，至鴻門，謝曰：「臣與將軍戮力而攻秦，將軍戰河北，臣戰河南，然不自意能先入關破秦，得復見將軍於此。今者有小人之言，令將軍與臣有卻。」項王曰：「此沛公左司馬曹無傷言之；不然，籍何以至此。」項王即日因留沛公與飲。項王、項伯東向坐，亞父南向坐。亞父者，范增也。沛公北向坐，張良西向侍。范增數目項王，舉所佩玉玦以示之者三，項王默然不應。范增起，出召項莊，謂曰：「君王為人不忍。若入前為壽，壽畢，請以劍舞，因擊沛公於坐，殺之。不者，若屬皆且為所虜。」莊則入為壽。壽畢，曰：「君王與沛公飲，軍中無以為樂，請以劍舞。」項王曰：「諾。」項莊拔劍起舞，項伯亦拔劍起舞，常以身翼蔽沛公，莊不得擊。於是張良至軍門，見樊噲。樊噲曰：「今日之事何如？」良曰：「甚急！今者項莊拔劍舞，其意常在沛公也。」噲曰：「此迫矣，臣請入，與之同命。」噲即帶劍擁盾入軍門。交戟之衛士欲止不內，樊噲側其盾以撞，衛士仆地，噲遂入，披帷西向立，瞋目視項王，頭髮上指，目眥盡裂。項王按劍而跽曰：「客何為者？」張良曰：「沛公之參乘樊噲者也。」項王曰：「壯士，賜之卮酒。」則與斗卮酒。噲拜謝，起，立而飲之。項王曰：「賜之彘肩。」則與一生彘肩。樊噲覆其盾於地，加彘肩上，拔劍切而啖之。項王曰：「壯士！能復飲乎？」樊噲曰：「臣死且不避，卮酒安足辭！夫秦王有虎狼之心，殺

人如不能舉，刑人如恐不勝，天下皆叛之。懷王與諸將約曰：『先破秦入咸陽者王之。』今沛公先破秦入咸陽，毫毛不敢有所近，封閉宮室，還軍霸上，以待大王來。故遣將守關者，備他盜之出入與非常也。勞苦而功高如此，未有封侯之賞，而聽細說，欲誅有功之人。此亡秦之續耳，竊為大王不取也。」項王未有以應，曰：「坐。」樊噲從良坐。坐須臾，沛公起如廁，因招樊噲出。

　　沛公已出，項王使都尉陳平召沛公。沛公曰：「今者出，未辭也，為之奈何？」樊噲曰：「大行不顧細謹，大禮不辭小讓。如今人方為刀俎，我為魚肉，何辭為？」於是遂去。乃令張良留謝。良問曰：「大王來何操？」曰：「我持白璧一雙，欲獻項王，玉斗一雙，欲與亞父。會其怒，不敢獻。公為我獻之。」張良曰：「謹諾。」當是時，項王軍在鴻門下，沛公軍在霸上，相去四十里。沛公則置車騎，脫身獨騎，與樊噲、夏侯嬰、靳彊、紀信等四人持劍盾步走，從酈山下，道芷陽間行。沛公謂張良曰：「從此道至吾軍，不過二十里耳。度我至軍中，公乃入。」沛公已去，間至軍中。張良入謝，曰：「沛公不勝杯杓，不能辭。謹使臣良奉白璧一雙，再拜獻大王足下，玉斗一雙，再拜奉大將軍足下。」項王曰：「沛公安在？」良曰：「聞大王有意督過之，脫身獨去，已至軍矣。」項王則受璧，置之坐上。亞父受玉斗，置之地，拔劍撞而破之，曰：「唉！豎子不足與謀。奪項王天下者，必沛公也。吾屬今為之虜矣！」沛公至軍，立誅殺曹無傷。

（節選自《史記・項羽本紀》）

編選說明 ● ● ●

　　本文節選自《史記・項羽本紀》，作者為西漢的司馬遷。公元前
206 年，當時為沛公的劉邦率領義軍攻破武關，進入關中地區。秦王
子嬰向劉邦投降。劉邦入關後，與秦民約法三章，並派人駐守函谷
關，以防項羽進關。當時項羽剛剛於鉅鹿之戰取得勝利，並殲滅了秦
軍的主力，正向關中進攻。當項羽到達函谷關後，得知劉邦已經攻陷
關中，一怒之下攻陷了關隘，並推進至戲水之西。劉邦當時與其軍隊
同處霸上，暫未會見項羽。當時項羽的兵力大約是 40 萬人，劉邦軍
隊共約 10 萬人。鴻門宴，指在公元前 206 年於秦朝都城咸陽郊外的
鴻門（今陝西省西安市臨潼區新豐鎮鴻門堡村）舉行的一次宴會，參
與者包括當時兩支抗秦軍的領袖項羽及劉邦。是次宴會在秦末農民戰
爭及楚漢戰爭皆發生重要影響，被認為間接促成項羽敗亡以及劉邦成
功建立漢朝。後人也常用「鴻門宴」一詞比喻不懷好意的宴會。

劉向

賢興邦佞毀國

　　禹以夏王，桀以夏亡；湯以殷王，紂以殷亡。闔廬以吳戰勝無敵於天下，而夫差以見禽於越，文公以晉國霸，而厲公以見弒於匠麗之宮，威王以齊強於天下，而愍王以弒死於廟梁，穆公以秦顯名尊號，而二世以劫於望夷，其所以君王者同，而功跡不等者，所任異也！是故成王處襁褓而朝諸侯，周公用事也。趙武靈王五十年而餓死於沙丘，任李兌故也。桓公得管仲，九合諸侯，一匡天下，失管仲，任豎刁易牙，身死不葬，為天下笑，一人之身，榮辱俱施焉，在所任也。故魏有公子無忌，削地復得；趙任藺相如，秦兵不敢出鄢陵；任唐睢，國獨特立。楚有申包胥，而昭王反位；齊有田單，襄王得國。由此觀之，國無賢佐俊士，而能以成功立名，安危繼絕者，未嘗有也。故國不務大而務得民心；佐不務多，而務得賢俊。得民心者民往之，有賢佐者士歸之，文王請除炮烙之刑而殷民從，湯去張網者之三面而夏民從，越王不鹽舊冢而吳人服，以其所為之順於民心也。故聲同則處異而相應，德合則未見而相親，賢者立於本朝，則天下之豪，相率而趨之矣，何以知其然也？曰：管仲，桓公之賊也，鮑叔以為賢於己而進之為相，七十言而說乃聽，遂使桓公除報讎之心而委國政焉。桓公垂拱無事而朝諸侯，鮑叔之力也；管仲之所以能北走桓公無自危之心者，同聲於鮑叔也。紂殺王子比干，箕子被髮而佯狂，陳靈公殺泄

冶而鄧元去陳；自是之後，殷兼於周，陳亡於楚，以其殺比干、泄冶
而失箕子與鄧元也。燕昭王得郭隗，而鄒衍、樂毅以齊趙至，蘇子、
屈景以周楚至，於是舉兵而攻齊，棲閔王於莒，燕校地計眾，非與齊
均也，然所以能信意至於此者，由得士也。故無常安之國，無恒治之
民；得賢者則安昌，失之者則危亡，自古及今，未有不然者也。明鏡
所以昭形也，往古所以知今也，夫知惡往古之所以危亡，而不務襲跡
於其所以安昌，則未有異乎卻走而求逮前人也，太公知之，故舉微子
之後而封比干之墓，夫聖人之於死尚如是其厚也，況當世而生存者
乎！則其弗失可識矣。

（節選自劉向《說苑·尊賢》）

編選說明 ● ● ●

　　劉向（前79—前8），字子政。江蘇沛縣（今江蘇沛縣）人。劉
向經學造詣很高，曾講論五經於石渠閣，著有五經通義。典校中央藏
書時撰作別錄，大量為群籍作導讀，是中國目錄學之祖。少時以能賦
有名當時，後來撰作列女傳、說苑、新序等，也以散文名家。若合之
以政治上的忠直表現，可說是西漢末期綜融了文學家、經學家、政治
家與目錄學家於一身的傑出學者。劉向編纂《說苑》，除了因為典校
中秘，有緣博覽群書、也有責任需就群書作提要，以供帝王閱覽的理
由以外，更有一個重要的原因所在，那便是漢室朝綱不振，激使他嘗
試運用纂書，期望透過閱讀，改善帝王行政素養，增進國家行政利

益。《説苑》在晚唐時期雖曾散佚大半，宋以後便由曾鞏用力補全。該書以治道為重心，以儒術為根本，不僅足以展示劉向本身的政治思想，也呈現了漢朝武帝以後的政治思潮；不僅保留了大量的古籍資料，也具有突出的文學價值；不僅是劉向膾炙人口的代表作，也是世人所以理解西漢後期面貌的重要典籍。

戴聖

大同與小康

　　昔者仲尼與於蠟賓，事畢，出遊於觀之上，喟然而歎。仲尼之歎，蓋歎魯也。言偃在側，曰：「君子何歎？」孔子曰：「大道之行也，與三代之英，丘未之逮也，而有志焉。大道之行也，天下為公，選賢與能，講信修睦。故人不獨親其親，不獨子其子，使老有所終，壯有所用，幼有所長，矜寡孤獨廢疾者皆有所養，男有分，女有歸。貨惡其棄於地也，不必藏於己；力惡其不出於身也，不必為己。是故謀閉而不興，盜竊亂賊而不作，故外戶而不閉。是謂大同。」

　　「今大道既隱，天下為家，各親其親，各子其子，貨力為己，大人世及以為禮，城郭溝池以為固，禮義以為紀，以正君臣，以篤父子，以睦兄弟，以和夫婦，以設制度，以立田裏，以賢勇知，以功為己。故謀用是作，而兵由此起。禹、湯、文、武、成王、周公由此其選也。此六君子者，未有不謹於禮者也。以著其義，以考其信，著有過，刑仁講讓，示民有常，如有不由此者，在執者去，眾以為殃。是謂小康。」

（節選自《禮記・禮運》）

編選説明 ● ●●

　　《禮記》是戰國至秦漢年間儒家學者解釋説明經書《儀禮》的文章選集，是一部儒家思想的資料彙編。《禮記》的作者不止一人，寫作時間也有先有後，其中多數篇章可能是孔子的七十二名高徒弟子及其學生們的作品，還兼收先秦的其它典籍。《禮記》的內容主要是記載和論述先秦的禮制、禮儀，解釋儀禮，記錄孔子和弟子等的問答，記述修身做人的準則。實際上，這部九萬字左右的著作內容廣博，門類雜多，涉及政治、法律、道德、哲學、歷史、祭祀、文藝、日常生活、曆法、地理等諸多方面，幾乎包羅萬象，集中體現了先秦儒家的政治、哲學和倫理思想，是研究先秦社會的重要資料。

王符

選賢任官治國興邦

　　國以賢興，以諂衰；君以忠安，以忌危。此古今之常論，而世所共知也。然衰國危君繼踵不絕者，豈世無忠信正直之士哉？誠苦忠信正直之道不得行爾。

　　夫十步之閒，必有茂草；十室之邑，必有俊士。賢材之生，日月相屬，未嘗乏絕。是故亂殷有三仁，小衛多君子。以漢之廣博，士民之眾多，朝廷之清明，上下之修治，而官無直吏，位無良臣。此非今世之無賢也，乃賢者廢錮而不得達於聖主之朝爾。

　　夫志道者少友，逐俗者多儔。是以舉世多朋黨而行私，競背質而趨華。貢士者，非復依其質幹，准其材行也，直虛造空美，掃地洞說。擇能者而書之。公卿、刺史、掾從事，茂才孝廉且二百員。歷察其狀，德侔顏淵、卜、冉，最其行能，多不及中。誠使皆如狀文，則是為歲得大賢二百也。然則災異曷為譏？此非其實之效。

　　夫說粱飯食肉，有好於面目，而不若糲粢藜烝之可食於口也。圖西施、毛嬙，有悅於心，而不若醜妻陋妾之可禦於前也。虛張高譽，強蔽疵瑕，以相詆耀，有快於耳，而不若忠選實行可任於官也。周顯拘時，故蘇秦；燕噲利虛譽，故讓子之，皆舍實聽聲，嘔哇之過也。

　　夫聖人純，賢者駁，周公不求備，四友不相兼，況末世乎？是故高祖所輔佐，光武所將相，不遂偽舉，不責兼行，亡秦之所棄，王莽

之所捐，二祖任用以誅暴亂，成致治安。太平之世，而雲無士。數開橫選，而不得真，甚可憤也！

夫明君之詔也若聲，忠臣之和也當如回應，長短大小，清濁疾徐，必相和也。是故求馬問馬，求驢問驢，求鷹問鷹，求駑問駑。由此教令，則賞罰必也。

夫高論而相欺，不若忠論而誠實。且攻玉以石，冶金以鹽，濯錦以魚，浣布以灰。夫物固有以賤治貴，以醜治好者矣。智者棄其所短而采其所長，以致其功，明君用士亦猶是也。物有所宜，不廢其材，況於人乎？

夫修身慎行，敦方正直，清廉潔白，恬淡無為，化之本也。憂君哀民，獨睹亂原，好善嫉惡，賞罰嚴明，治之材也。明君兼善而兩納之，惡行之器也為金玉，寶政之材剛鐵用。無此二寶，苟務作異以求名，詐靜以惑眾，則敗俗傷化。今世慕虛者，動謂堅白。堅白之行，明君所憎，而王制所不取。

是故選賢貢士，必考覈其清素，據實而言，其有小疵，勿強衣飾，以壯虛聲。一能之士，各貢所長，出處默語，勿強相兼，則蕭、曹、周、韓之論，何足得矣？吳、鄧、梁、竇之徒，而致十。各以所宜，量材授任，則庶官無曠，興功可成，太平可致，麒麟可臻。

且燕小，其位卑，然昭王尚能招集他國之英俊，興誅暴亂，成致治強。今漢土之廣博，天子尊明，而曾無一良臣，此誠不愍兆黎之愁苦，不急賢人之佐治爾。孔子曰：「未之思也，夫何遠之有？」忠良之吏誠易得也，顧聖王欲之不爾。

（節選自王符《潛夫論‧實貢》）

編選說明 ● ● ●

　　王符是漢代歷史上享有盛名的思想家，所著《潛夫論》視野開闊，志意蘊憤，充滿了閎識卓見。他遠承諸子之學的優良傳統，以儒家立場為出發點，對東漢中期的政治、經濟和社會現象進行真實剖析與深刻批判。他在書中「指訐時短，討謫物情」，縱論治國之術、君臣倫理、選賢任官、斷訟慎赦、勸將實邊等政治命題，探討世風民俗、為學修德、交際明忠等教化問題，叩問氣運感化、含嘉生民的物源之謎，為我們展現了一幅廣闊真實的東漢社會畫卷，表達了一位隱居「潛夫」對於時代、人生的憂患意識，提出了改革時弊的真知灼見。與同時代的學界鉅子相比，他的現實關注取向超過了王充，他的批判鋒芒比肩於仲長統、荀悅。因此，《潛夫論》被學人譽為「真實反映當時社會的鏡子」，「一座包羅萬象的學術寶庫」。

陳壽

隆中對

　　亮躬耕隴畝，好為《梁父吟》。身高八尺，每自比於管仲、樂毅，時人莫之許也。惟博陵崔州平、潁川徐庶元直與亮友善，謂為信然。時先主屯新野。徐庶見先主，先主器之，謂先主曰：「諸葛孔明者，臥龍也，將軍豈願見之乎？」先主曰：「君與俱來。」庶曰：「此人可就見，不可屈致也。將軍宜枉駕顧之。」

　　由是先主遂詣亮，凡三往，乃見。因屏人曰：「漢室傾頹，姦臣竊命，主上蒙塵。孤不度德量力，欲信大義於天下，而智術短淺，遂用猖獗，至於今日。然志猶未已，君謂計將安出？」

　　亮答曰：「自董卓以來，豪傑並起，跨州連郡者不可勝數。曹操比於袁紹，則名微而眾寡，然操遂能克紹，以弱為強者，非惟天時，抑亦人謀也。今操已擁百萬之眾，挾天子而令諸侯，此誠不可與爭鋒。孫權據有江東，已歷三世，國險而民附，賢能為之用，此可以為援而不可圖也。荊州北據漢、沔，利盡南海，東連吳會，西通巴、蜀，此用武之國，而其主不能守，此殆天所以資將軍，將軍豈有意乎？益州險塞，沃野千里，天府之土，高祖因之以成帝業。劉璋暗弱，張魯在北，民殷國富而不知存恤，智慧之士思得明君。將軍既帝室之胄，信義著於四海，總攬英雄，思賢如渴，若跨有荊、益，保其岩阻，西和諸戎，南撫夷越，外結好孫權，內修政理；天下有變，則

命一上將將荊州之軍以向宛、洛，將軍身率益州之眾出於秦川，百姓
孰敢不簞食壺漿以迎將軍者乎？誠如是，則霸業可成，漢室可興
矣。」

（節選自《三國志‧蜀志‧諸葛亮傳》）

編選說明 ● ● ●

　　《隆中對》原名《草廬對》，是指中國東漢末年諸葛亮與劉備初
次會面的談話內容，選自《三國志‧蜀志‧諸葛亮傳》。但《隆中對》
提法並非由作者陳壽提出，而是由後人添加。207 年冬至 208 年春，
當時駐軍新野的劉備在徐庶的建議下，三次到隆中（今南陽臥龍崗或
襄陽古隆中）拜訪諸葛亮。前兩次都沒見到諸葛亮，第三次終於得
見。《隆中對》中，諸葛亮為劉備分析了天下形勢，提出先取荊州為
家，再取益州成鼎足之勢，繼而圖取中原的戰略構想。三顧茅廬之
後，諸葛亮出山成為劉備的軍師，劉備集團之後的種種攻略皆基於
此。

吳兢

●●●

為政之道

　　貞觀二年，太宗問魏徵曰：「何謂為明君暗君？」徵曰：「君之所以明者，兼聽也；其所以暗者，偏信也。《詩》云：『先人有言，詢於芻蕘。』昔唐、虞之理，闢四門，明四目，達四聰。是以聖無不照，故共、鯀之徒，不能塞也；靖言庸回，不能惑也。秦二世則隱藏其身，捐隔疏賤而偏信趙高，及天下潰叛，不得聞也。梁武帝偏信朱異，而侯景舉兵向闕，竟不得知也。隋煬帝偏信虞世基，而諸賊攻城剽邑，亦不得知也。是故人君兼聽納下，則貴臣不得壅蔽，而下情必得上通也。」太宗甚善其言。

　　貞觀十年，太宗謂侍臣曰：「帝王之業，草創與守成孰難？」尚書左僕射房玄齡對曰：「天地草昧，群雄競起，攻破乃降，戰勝乃克。由此言之，草創為難。」魏徵對曰：「帝王之起，必承衰亂。覆彼昏狡，百姓樂推，四海歸命，天授人與，乃不為難。然既得之後，志趣驕逸，百姓欲靜而徭役不休，百姓凋殘而侈務不息，國之衰弊，恒由此起。以斯而言，守成則難。」太宗曰：「玄齡昔從我定天下，備嘗艱苦，出萬死而遇一生，所以見草創之難也。魏徵與我安天下，慮生驕逸之端，必踐危亡之地，所以見守成之難也。今草創之難，既已往矣，守成之難者，當思與公等慎之。」

　　貞觀十五年，太宗謂侍臣曰：「守天下難易？」侍中魏徵對曰：

「甚難。」太宗曰：「任賢能、受諫諍，即可，何謂為難？」徵曰：「觀自古帝王，在於憂危之間，則任賢受諫。及至安樂，必懷寬怠，言事者惟令兢懼，日陵月替，以至危亡。聖人所以居安思危，正為此也。安而能懼，豈不為難？」

貞觀元年，太宗謂黃門侍郎王珪曰：「中書所出詔敕，頗有意見不同，或兼錯失而相正以否。元置中書、門下，本擬相防過誤。人之意見，每或不同，有所是非，本為公事。或有護己之短，忌聞其失，有是有非，銜以為怨。或有苟避私隙，相惜顏面，知非政事，遂即施行。難違一官之小情，頓為萬人之大弊。此實亡國之政，卿輩特須在意防也。隋日內外庶官，政以依違，而致禍亂，人多不能深思此理。當時皆謂禍不及身，面從背言，不以為患。後至大亂一起，家國俱喪，雖有脫身之人，縱不遭刑戮，皆辛苦僅免，甚為時論所貶黜。卿等特須滅私徇公，堅守直道，庶事相啟沃，勿上下雷同也。」

貞觀二年，太宗問黃門侍郎王珪曰：「近代君臣治國，多劣於前古，何也？」對曰：「古之帝王為政，皆志尚清靜，以百姓之心為心。近代則唯損百姓以適其欲，所任用大臣，復非經術之士。漢家宰相，無不精通一經，朝廷若有疑事，皆引經決定，由是人識禮教，理致太平。近代重武輕儒，或參以法律，儒行既虧，淳風大壞。」太宗深然其言。自此百官中有學業優長、兼識政體者，多進其階品。累加遷擢焉。

貞觀三年，太宗謂侍臣曰：「中書、門下，機要之司。擢才而居，委任實重。詔敕如有不穩便，皆須執論。比來惟覺阿旨順情，唯唯苟過，遂無一言諫諍者，豈是道理？若惟署詔敕、行文書而已，人

誰不堪？何煩簡擇，以相委付？自今詔敕疑有不穩便，必須執言，無得妄有畏懼，知而寢默。」

貞觀四年，太宗問蕭瑀曰：「隋文帝何如主也？」對曰：「克己復禮，勤勞思政，每一坐朝，或至日昃，五品已上，引坐論事，宿衛之士，傳　而食，雖性非仁明，亦是勵精之主。」太宗曰：「公知其一，未知其二。此人性至察而心不明。夫心暗則照有不通，至察則多疑於物。又欺孤兒寡婦以得天下，恒恐群臣內懷不服，不肯信任百司，每事皆自決斷，雖則勞神苦形，未能盡合於理。朝臣既知其意，亦不敢直言。宰相以下，惟承順而已。朕意則不然，以天下之廣，四海之眾，千端萬緒，須合變通，皆委百司商量，宰相籌畫，於事穩便，方可奏行。豈得以一日萬機，獨斷一人之慮也。且日斷十事，五條不中，中者信善，其如不中者何？以日繼月，乃至累年，乖謬既多，不亡何待？豈如廣任賢良，高居深視，法令嚴肅，誰敢為非？」因令諸司，若詔敕頒下有未穩便者，必須執奏，不得順旨便即施行，務盡臣下之意。

貞觀五年，太宗謂侍臣曰：「治國與養病無異也。病人覺愈，彌須將護，若有觸犯，必至殞命。治國亦然，天下稍安，尤須兢慎，若便驕逸，必至喪敗。今天下安危，係之於朕。故日慎一日，雖休勿休。然耳目股肱，寄於卿輩，既義均一體，宜協力同心，事有不安，可極言無隱。倘君臣相疑，不能脩盡肝膈，實為國之大害也。」

貞觀六年，太宗謂侍臣曰：「看古之帝王，有興有衰，猶朝之有暮，皆為蔽其耳目，不知時政得失，忠正者不言，邪諂者日進，既不見過，所以至於滅亡。朕既在九重，不能盡見天下事，故布之卿等，

以為朕之耳目。莫以天下無事，四海安寧，便不存意。可愛非君，可畏非民。天子者，有道則人推而為主，無道則人棄而不用，誠可畏也。」魏徵對曰：「自古失國之主，皆為居安忘危，處理忘亂，所以不能長久。今陛下富有四海，內外清晏，能留心治道，常臨深履薄，國家歷數，自然靈長。臣又聞古語云：『君，舟也；人，水也。水能載舟，亦能覆舟。』陛下以為可畏，誠如聖旨。」

（節選自《貞觀政要》之《君道》和《政體》）

編選說明 ● ● ●

　　《貞觀政要》是一部政論性的史書。這部書以記言為主，所記基本上是貞觀年間唐太宗李世民與臣下魏徵、王珪、房玄齡、杜如晦等人關於施政問題的對話以及一些大臣的諫議和勸諫奏疏。該書全面系統地反映了唐太宗君臣在貞觀年間的政治業績及有關活動，詳細地介紹了貞觀時期各個方面的歷史情況。雖然不無溢美之詞，但還是相當客觀地記載了當時的真實情況，有較高的文獻價值。它是一部政論性較強的歷史文獻，分門別類，按照專題敘述；觀點分明，條理清楚，目的是讓讀者更容易地總結歷史經驗和教訓，更方便從中取得歷史的借鑒。

歐陽修

伶官傳序

　　嗚呼！盛衰之理，雖曰天命，豈非人事哉！原莊宗之所以得天下，與其所以失之者，可以知之矣。

　　世言晉王之將終也，以三矢賜莊宗，而告之曰：「梁，吾仇也；燕王吾所立，契丹與吾約為兄弟，而皆背晉以歸梁。此三者，吾遺恨也。與爾三矢，爾其無忘乃父之志！」莊宗受而藏之於廟。其後用兵，則遣從事以一少牢告廟，請其矢，盛以錦囊，負而前驅，乃凱旋而納之。

　　方其係燕父子以組，函梁君臣之首，入於太廟，還矢先王而告以成功，其意氣之盛，可謂壯哉！及仇讎已滅，天下已定，一夫夜呼，亂者四應，倉皇東出，未及見賊而士卒離散，君臣相顧，不知所歸；至於誓天斷髮，泣下沾襟，何其衰也！豈得之難而失之易歟？抑本其成敗之跡而皆自於人歟？《書》曰：「滿招損，謙受益。」憂勞可以興國，逸豫可以亡身，自然之理也。故方其盛也，舉天下之豪傑莫能與之爭；及其衰也，數十伶人困之，而身死國滅，為天下笑。夫禍患常積於忽微，而智勇多困於所溺，豈獨伶人也哉！

　　　　　　　　　　　　（節選自歐陽修《新五代史·伶官傳》）

編選說明 ●●●

　　歐陽修（1007—1072），北宋文學家、史學家。字永叔，號醉翁、六一居士，吉州吉水（今屬江西）人。天聖進士。官館閣校勘，因直言論事貶知夷陵。慶曆中任諫官，支持范仲淹，要求在政治上有所改良，被誣貶知滁州。官至翰林學士、樞密副使、參知政事。王安石推行新法時，對青苗法有所批評。諡文忠。主張文章應「明道」、致用，對宋初以來靡麗、險怪的文風表示不滿，並積極培養後進，是北宋古文運動的領袖。散文說理暢達，抒情委婉，為「唐宋八大家」之一；詩風與其散文近似，語言流暢自然。其詞婉麗，承襲南唐餘風。曾與宋祁合修《新唐書》，並獨撰《新五代史》。又喜收集金石文字，編為《集古錄》，對宋代金石學頗有影響。有《歐陽文忠集》。

王安石

本朝百年無事箚子

　　臣前蒙陛下問及本朝所以享國百年天下無事之故。臣以淺陋，誤承聖問，迫於日暮，不敢久留，語不及悉，遂辭而退。竊惟念聖問及此，天下之福，而臣遂無一言之獻，非近臣所以事君之義，故敢昧冒而粗有所陳。

　　伏惟太祖躬上智獨見之明，而週知人物之情偽，指揮付託必盡其材，變置施設必當其務。故能駕馭將帥，訓齊士卒，外以扞夷狄，內以平中國。於是除苛賦，止虐刑，廢強橫之藩鎮，誅貪殘之官吏，躬以簡儉為天下先。其於出政發令之間，一以安利元元為事。太宗承之以聰武，真宗守之以謙仁，以至仁宗、英宗，無有逸德。此所以享國百年而天下無事也。

　　仁宗在位歷年最久，臣於時實備從官，施為本末，臣所親見。嘗試為陛下陳其一二，而陛下詳擇其可，亦足以申鑒於方今。伏惟仁宗之為君也，仰畏天，俯畏民，寬仁恭儉，出於自然。而忠恕誠慤，終始如一，未嘗妄興一役，未嘗妄殺一人，斷獄務在生之，而特惡吏之殘擾。寧屈己棄財於夷狄，而終不忍加兵。刑平而公，賞重而信。納用諫官御史，公聽並觀，而不蔽於偏至之讒。因任眾人耳目，拔舉疏遠，而隨之以相坐之法。蓋監司之吏以至州縣，無敢暴虐殘酷，擅有調發，以傷百姓。自夏人順服，蠻夷遂無大變，邊人父子夫婦得免於

兵死，而中國之人安逸蕃息，以至今日者，未嘗妄興一役、未嘗妄殺一人、斷獄務在生之、而特惡吏之殘擾、寧屈己棄財於夷狄而不忍加兵之效也。大臣貴戚、左右近習，莫敢強橫犯法，其自重慎或甚於閭巷之人。此刑平而公之效也。募天下驍雄橫猾以為兵，幾至百萬，非有良將以御之，而謀變者輒敗；聚天下財物，雖有文籍委之府史，非有能吏以鉤考，而斷盜者輒發；凶年餓歲，流者填道，死者相枕，而寇攘者輒得。此賞重而信之效也。大臣貴戚、左右近習，莫能大擅威福廣私貨賂，一有奸慝隨輒上聞。貪邪橫猾雖間或見用，未嘗得久。此納用諫官、御史，公聽並觀而不蔽於偏至之讒之效也。自縣令京官以至監司臺閣陞擢之任，雖不皆得人，然一時之所謂才士亦罕蔽塞而不見收舉者，此因任眾人之耳目、拔舉疏遠而隨之以相坐之法之效也。昇遐之日，天下號慟如喪考妣，此寬仁恭儉出於自然，忠恕誠愨終始如一之效也。

　　然本朝累世因循末俗之弊，而無親友群臣之議。人君朝夕與處不過宦官女子，出而視事又不過有司之細故，未嘗如古大有為之君與學士大夫討論先王之法以措之天下也。一切因任自然之理勢，而精神之運有所不加，名實之間有所不察；君子非不見貴，然小人亦得廁其間；正論非不見容，然邪說亦有時而用；以詩賦記誦求天下之士，而無學校養成之法；以科名資歷敍朝廷之位，而無官司課試之方；監司無檢察之人，守將非選擇之吏，轉徙之亟，既難於考績，而遊談之眾因得以亂真；交私養望者多得顯官，獨立營職者或見排沮。故上下偷惰取容而已。雖有能者在職，亦無以異於庸人。農民壞於繇役，而未嘗特見救恤，又不為之設官以修其水土之利；兵士雜於疲老，而未嘗

申敕訓練，又不為之擇將而久其疆場之權；宿衛則聚卒伍無賴之人，而未有以變五代姑息羈縻之俗；宗室則無教訓選舉之實，而未有以合先王親疏隆殺之宜。其於理財，大抵無法，故雖儉約而民不富，雖憂勤而國不強。賴非夷狄昌熾之時，又無堯、湯水旱之變，故天下無事過於百年。雖曰人事，亦天助也。蓋累聖相繼，仰畏天，俯畏人，寬仁恭儉，忠恕誠愨，此其所以獲天助也。

伏惟陛下躬上聖之質，承無窮之緒，知天助之不可常恃，知人事之不可怠終，則大有為之時正在今日。臣不敢輒廢將明之義而苟逃諱忌之誅，伏惟陛下幸赦而留神，則天下之福也。取進止。

編選說明 ●●●

王安石（1021—1086），北宋臨川（今江西省東鄉縣上池村）人。字介甫，晚號半山，封荊國公，世人又稱王荊公。中國傑出的政治家、文學家、思想家，改革家。在文學中具有突出成就，擅長於說理與修辭，善於用典故，風格遒勁有力，警闢精絕，也有情韻深婉的作品。著有《臨川先生文集》。其政治變法對北宋後期社會經濟具有很深的影響，已具備近代變革的特點，被列寧譽為「中國十一世紀偉大的改革家」，與「韓愈、柳宗元、歐陽修、蘇洵、蘇軾、蘇轍、曾鞏」，並稱「唐宋八大家」。

本文作於宋神宗熙寧元年（1068），神宗召見王安石，王安石得以與神宗直接對答。宋神宗二十一歲繼承皇位，和宋仁宗、宋英宗相

比，他是個想有所作為的皇帝，因而繼位不久，便將王安石從江寧召回。據《宋史‧王安石傳》：熙寧元年四月……帝問所治為先，對曰：「擇術為先。」王安石「擇術為先」這一回答實際上否定了現行的治術，要提出新的治理方案。《續資治通鑑長編》亦載：宋神宗詢問王安石「祖宗守天下，能百年無大變，粗致太平，以何道也」的問題。這問話的意思是當前的「治術」也導致了百年的太平無事。針對這個問題，王安石上了《本朝百年無事劄子》這篇說理文章，以揚為抑，褒中有貶，剖析了宋仁宗統治的四十多年中的種種弊病，透過「百年無事」的表面現象揭示出當前面臨的種種危機，指出因循守舊的危害，並就吏治、教育、科舉、農業、財政、軍事等諸方面的改革提出自己的主張，文章綱目清晰，說理透徹；措辭委婉，情感直白坦誠。既指出了問題，又使神宗容易接受，是歷代奏議中的佳作。

張廷玉

況鍾興利除弊端

　　況鍾，字伯律，靖安人。初以吏事尚書呂震，奇其才，薦授儀制司主事。遷郎中。

　　宣德五年，帝以郡守多不稱職，會蘇州等九府缺，皆雄劇地，命部、院臣舉其屬之廉能者補之。鍾用尚書蹇義、胡　等薦，擢知蘇州，賜敕以遣之。蘇州賦役繁重，豪猾舞文為奸利，最號難治。鍾乘傳至府。初視事，群吏環立請判牒。鍾佯不省，左右顧問，惟吏所欲行止。吏大喜，謂太守暗，易欺。越三日，召詰之曰：「前某事宜行，若止我；某事宜止，若強我行；若輩舞文久，罪當死。」立捶殺數人，盡斥屬僚之貪虐庸懦者。一府大震，皆奉法。鍾乃蠲煩苛，立條教，事不便民者，立上書言之。

　　清軍御史李立勾軍暴，同知張徽承風指，動以酷刑抑配平人。鍾疏免百六十人，役止終本身者千二百四十人。屬縣逋賦四年，凡七百六十餘萬石。鍾請量折以鈔，為部議所格，然自是頗蠲減。又言：「近奉詔募人佃官民荒田，官田準民田起科，無人種者除賦額。崑山諸縣民以死徙從軍除籍者，凡三萬三千四百餘戶，所遺官田二千九百八十餘頃，應減稅十四萬九千餘石。其它官田沒海者，賦額猶存，宜皆如詔書從事。臣所領七縣，輕重不均如此。乞敕所司處置。」帝悉報許。

　　其為政，纖細周密。嘗置二簿識民善惡，以行勸懲。又置通關勘合簿，防出納奸偽。置綱運簿，防運夫侵盜。置館夫簿，防非理需求。興利除害，不遺餘力。鋤豪強，植良善，民奉之若神。

　　鍾雖起刀筆，然重學校，禮文儒，單門寒士多見振贍。有鄒亮者，獻詩於鍾。鍾欲薦之，或為匿名書毀亮。鍾曰「是欲我速成亮名耳」，立奏之朝。召授吏、刑二部司務。遷御史。

　　鍾剛正廉潔，孜孜愛民，前後守蘇者莫能及。鍾之後李從智、朱勝相繼知蘇州，咸奉敕從事；然教書委寄不如鍾矣。

（節選自《明史·況鍾傳》）

編選說明 ●●●

　　況鍾（1388—1442），字伯律，號龍崗，又號如愚。江西靖安（今江西省靖安縣高湖鎮崖口村）人。明代官吏、詩人。宣德五年出任蘇州知府，他是明代一位受百姓尊敬的清官，蘇州人民稱他「況青天」。崑劇《十五貫》，以歌頌況鍾而使其婦孺皆知。況鍾不僅剛正廉潔，而且孜孜愛民。前後各屆蘇州知府都不能與他相比。他在任期間，先後為人民辦了許多好事。貪官污吏動不動對百姓處以酷刑，他先後酌情予以減免者近一千四百餘人。同時，他協同巡撫周忱，悉心籌畫，為百姓奏免賦稅糧七十餘萬石。他興利除弊，不遺餘力，鋤豪強，扶良善，是明代著名的清官。因此，百姓對他奉若神明。

鄭觀應

開眼看世界

　　《中庸》曰：「君子而時中。」孟子曰：「孔子，聖之時者也。」時之義大矣哉！《易》：「窮則變，變則通，通則久。」雖有智慧，不如乘勢；雖有鎡基，不如待時。故中也者，聖人之所以法天象地，成始而成終也；時也者，聖人之所以贊地參天，不遺而不過也。中，體也，本也，所謂不易者，聖之經也。時中，用也，末也，所謂變易者，聖之權也。無體何以立？無用何以行？無經何以安常？無權何以應變？

　　六十年來，萬國通商，中外汲汲，然言維新，言守舊，言洋務，言海防，或是古而非今，或逐末而亡本，求其洞見本原、深明大略者有幾人哉？孫子曰：「知己知彼，百戰百勝。」此言雖小，可以喻大。應雖不敏，幼獵書史，長業貿遷，憤彼族之要求，惜中朝之失策。於是學西文，涉重洋，日與彼都人士交接，察其習尚，訪其政教，考其風俗利病得失盛衰之由。乃知其治亂之源，富強之本，不盡在船堅炮利，而在議院上下同心，教養得法。興學校，廣書院，重技藝，別考課，使人盡其才。講農學，利水道，化瘠土為良田，使地盡其利。造鐵路，設電線，薄稅斂，保商務，使物暢其流。凡司其事者，必素精其事：為文官者必出自仕學院，為武官者必出自武學堂；有陞遷而無更調，各擅所長，名副其實。與中國取士之法不同。善夫

張靖達公云:「西人立國具有本末,雖禮樂教化遠遜中華,然其馴致富強亦具有體用。育才於學堂,論政於議院,君民一體,上下同心,務實而戒虛,謀定而後動,此其體也。輪船火炮,洋槍水雷,鐵路電線,此其用也。中國遺其體而求其用,無論竭蹷步趨,常不相及。就令鐵艦成行,鐵路四達,果足恃歟!」誠中的之論也。然中國深仁厚澤,初定制度盡善盡美,不知今日海禁大開,勢同列國,風氣一變,以至於此。《易》曰:「先天而天弗違,後天而奉天時。」「知進退存亡而不失其正者,其惟聖人乎?」年來當道講求洋務,亦嘗造槍炮,設電線,建鐵路,開礦、織布以起而應之矣。惟所用機器,所聘工師,皆來自外洋,上下因循,不知通變,德相俾斯麥謂中國只知選購船炮,不重藝學,不興商務,尚未知富強之本,非虛言也。彼西人之久居於中國者,亦曾著《局外旁觀》《變法自強》《中西關係論略》《中美關係續論》《四大政》《七國新學備要》《自西徂東》等書。日本人論中外交涉,更有《隔靴搔癢論》十三篇。事雜言龐,莫甚於茲矣。

夫寰海既同,重譯四至,締構交錯,日引月長,欲事無雜,不可得也;異族狎居,尊聞扭習,彼責此固,我笑子膠,欲言無龐,不可得也。雖然,眾非之中必有一是焉,江海不以大涵而拒細流,泰、華不以穹高而辭塊壤。今使天下之大,萬民之眾,凡有心者各竭其知,凡有口者各騰其說,以待車酋軒之採。不必究其言出誰何,而第問其有益乎時務與否,應亦盛世所弗禁也。

蒙向與中外達人哲士游,每於耳酣酒熱之餘,側聞緒論,多關安危大計,且時閱中外日報所論安內攘外之道,有觸於懷,隨筆札記。歷年既久,積若干篇,猶慮擇焉不精,語焉未詳,待質高明以定去

取。而朋好見輒持去，猥付報館及《中西聞見錄》中。曾將全作郵寄香港就正王紫詮廣文，不料竟為付梓，旋聞朝鮮、日本亦經重刊。竊懼醜不自匿，僭且招尤，復倩沈谷人太史、謝綏之直刺，將原稿三十六篇刪並二十篇，仍其名曰《易言》，改杞憂生為慕雍山人，意期再見雍熙之世。迄今十有九年，時勢又變：屏藩盡撤，強鄰日逼，西藏、朝鮮危同累卵。而中國學校未興，教育未備，工藝之精，商務之盛，瞠乎後於日本，感激時事，耿耿不能下臍。自顧年老才庸，粗知易理，亦急擬獨善潛修，韜光養晦，爰檢舊篋，將先後所論洋務五十五篇，請家玉軒京卿、陳次亮部郎、吳瀚濤大令、楊然青茂才，先後參定，付諸手民，定名曰《盛世危言》。

自知憤激之詞，不免狂戇僭越之罪。且管窺蠡測，亦難免舉長略短，蹈捨己芸人之譏。惟聖明在上，廣開言路，登賢進良，直言無隱。竊願比諸敢諫之木，進善之旌，俾人人洞達外情，事事講求利病。如蒙當世巨公，曲諒杞人憂天之愚，正其編弊，因時而善用之，行睹積習漸去，風化大開，華夏有磐石之安，國祚衍無疆之慶，安見空言者不可見諸行事，而牛溲馬勃，毋亦醫國者所畜為良藥也歟！

（節選自鄭觀應著《盛世危言》，上海古籍出版社 2008 年版）

編選說明 ● ● ●

鄭觀應（1842—1921），廣東香山（今中山）人，中國近代最早具有完整維新思想體系的理論家。1858 年鄭觀應應童子試未中，即

奉父命遠遊上海，棄學從商。1860 年進入英國人傅蘭雅在上海創辦的英華書館夜校學習英語，對西方政治、經濟方面的知識產生了濃厚興趣。1880 年出版《易言》一書，提出了一系列以國富為中心的內政改革措施，主張向西方學習，採用機器生產，鼓勵商民投資實業，大力宣揚了西方議會制度，力主中國實行君主立憲制。1894 年鄭觀應在《易言》的基礎上寫成《盛世危言》一書，體現了他成熟而完整的維新思想。

　　《盛世危言》貫穿著「富強救國」的主題，對政治、經濟、軍事、外交、文化諸方面的改革提出了切實可行的方案，給甲午戰敗以後沮喪、迷茫的晚清末世開出了一帖拯危於安的良藥。該書一出，朝野震動，各界人士紛紛爭閱，求書者絡繹不絕，以致一印再印仍不敷需求，甚至科場考試也常以書中所談時務為題目。禮部尚書孫家鼐將該書推薦給光緒皇帝，光緒讀畢嘉歎不已，詔命分發大臣閱讀。洋務干將張之洞讀了《盛世危言》以後評點道：「論時務之書雖多，究不及此書之統籌全域擇精語詳。」「上而以此輔世，可謂良藥之方；下而以此儲才，可作金針之度。」該書思想不僅影響了當時的思想界，而且惠及後世，如康有為、孫中山即頗受該書影響，毛澤東年輕時也經常閱讀《盛世危言》。

梁啟超

《變法通議》自序

　　法何以必變？凡在天地之間者莫不變：晝夜變而成日；寒暑變而成歲；大地肇起，流質炎炎，熱熔冰遷，累變而成地球；海草螺蛤，大木大鳥，飛魚飛鼄，袋鼠脊獸，彼生此滅，更代迭變，而成世界；紫血紅血，流注體內，呼炭吸養，刻刻相續，一日千變，而成生人。藉曰不變，則天地人類並時而息矣。故夫變者，古今之公理也：貢助之法變為租庸調，租庸調變為兩稅，兩稅變為一條鞭；並乘之法變為府兵，府兵變為弓廣騎，弓廣騎變為禁軍；學校升造之法變為薦辟，薦辟變為九品中正，九品變為科目。上下千歲，無時不變，無事不變，公理有固然，非夫人之為也。為不變之說者，動曰「守古守古」，庸詎知自太古、上古、中古、近古以至今日，固已不知萬百千變。今日所目為古法而守之者，其於古人之意，相去豈可以道里計哉？

　　今夫自然之變，天之道也；或變則善，或變則敝。有人道焉，則智者之所審也。語曰：「學者上達，不學下達。」惟治亦然：委心任運，聽其流變，則日趨於敝；振刷整頓，斟酌通變，則日趨於善。吾揆之於古，一姓受命，　法立制，數葉以後，其子孫之所奉行，必有以異於其祖父矣。而彼君民上下，猶目間焉以為吾今日之法吾祖，前者以之治天下而治，薾然守之，因循不察，漸移漸變，百事廢弛，卒

至疲敝，不可收拾。代興者審其敝而變之，斯為新王矣。苟其子孫達於此義，自審其敝而自變之，斯號中興矣。漢唐中興，斯固然矣。

《詩》曰：「周雖舊邦，其命維新。」言治舊國必用新法也。其事甚順，其義至明，有可為之機，有可取之法，有不得不行之勢，有不容少緩之故。為不變之說者，猶曰「守古守古」，坐視其因循廢弛，而漠然無所動於中。嗚呼！可不謂大惑不解者乎？《易》曰：「窮則變，變則通，通則久。」伊尹曰：「用其新，去其陳。」病乃不存。夜不炳燭則昧，冬不禦裘則寒，渡河而乘陸車者危，易證而嘗舊方者死。今專標斯義，大聲疾呼，上循士訓誦訓之遺，下依蒙諷鼓諫之義，言之無罪，聞者足興，為六十篇，分類十二，知我罪我，其無辭焉。

（選自梁啟超《變法通議》）

編選說明 ● ● ●

梁啟超（1873—1929），字卓如，號任公，別號飲冰室主人，廣東省新會縣人。中國近代資產階級維新運動的著名政治活動家和教育宣傳家。梁啟超自幼在家接受啟蒙教育。11 歲至廣州應學院試，中秀才。後在「學海堂」就讀，於經史子集無不涉獵，17 歲中舉人。18 歲購得《瀛環志略》，從此開始接觸西學。不久，以弟子禮拜見康有為，並於 1891 年受業於萬木草堂，其「一生學問之得力，皆在此年」。

　　《變法通議》是梁啟超擔任上海《時務報》主筆時發表的早期政論文章的結集，發表的起止日期為 1896 年至 1899 年。共有 14 篇，其中，《自序》《論不變法之害》《論變法不知本原之害》《學校總論》《論科舉》《論學會》《論師範》《論女學》《論幼學》《學校餘論》《論譯書》《論金銀漲落》等 12 篇，刊於 1896 年至 1898 年的《時務報》，《論變法必自平滿漢之界始》《論變法後安置守舊大臣之法》等兩篇，刊於 1898 年底至 1899 年初的《清議報》。《變法通議》收入《飲冰室合集·文集》第一冊的第一卷、入選時，編次略有更動。主要內容是論證中國社會變則存，不變則亡；只有改良現行的腐朽官僚體制和科舉取士制度，興辦新式學校培養變法人才，才能從根本上解決封建制度的弊端，維護清朝的政治統治。本書是近代中國最為系統全面的向國民宣揚維新變法主張的著作，從理論上深入闡述了維新變法的必要性及其保種、保國、保教的作用，成為晚清政壇上名聲最大的宣傳著作，是維新變法時期宣傳改良思想的最高旗幟。《變法通議》在《時務報》上連載，使《時務報》在眾多報刊中脫穎而出，成為當時影響最大的維新派刊物，梁啟超本人也因此得到了「輿論之驕子，天縱之天豪」的美譽。

擴展閱讀 ●●●

1. 范文瀾主編：《中國通史》，全十冊，人民出版社 1978 年版

2. 夏鼐：《中國文明的起源》，文物出版社 1985 年版

3. 匡亞明：《孔子評傳》，南京大學出版社 1990 年版

4. 鄭良樹：《商鞅評傳》，南京大學出版社 1998 年版

5. 楊寬：《戰國史》，上海人民出版社 2003 年版

6. 晁福林：《霸權迭興：春秋霸主論》，三聯書店 1992 年版

7. 何懷宏：《世襲社會及其解體：中國歷史上的春秋時代》，三聯書店 1996 年版

8. 劉海年：《戰國秦代法制管窺》，法律出版社 2006 年版

9. 白奚：《稷下學研究：中國古代的思想自由與百家爭鳴》，生活·讀書·新知三聯書店 1998 年版

10. 林劍鳴：《秦漢史》（上下），上海人民出版社 1989 年版

11. 閻步克：《士大夫政治演生史稿》，北京大學出版社 1996 年版

12. 余英時：《漢代的貿易與擴張》，上海古籍出版社 2005 年版

13. 葛景春、張玄生注譯：《貞觀政要》，中州古籍出版社 2005 年版

14. 邢賁思、戴逸總主編：《資政史鑒》（10 冊），人民出版社 1998 年版

15. 翦伯贊主編：《中國史綱要》，人民出版社 1995 年版

16. 岑仲勉：《隋唐史》，中華書局 1982 年版

17. 王仲犖：《隋唐五代史》，上海人民出版社 1988 年版

18. 陳振：《宋史》，上海人民出版社 2004 年版

19. 周良霄、顧菊英：《元史》，上海人民出版社 2004 年版

20. 孟森：《明清史講義》，中華書局 1981 年版

21. 湯綱、南炳文：《明史》，上海人民出版社 1985—1991 年版

22. 傅衣凌主編：《明史新編》，人民出版社 1995 年版

23. 蕭一山：《清代通史》，華東師範大學出版社 2006 年版

24. 戴逸主編：《簡明清史》，人民出版社 1980─1984 年版

25. 李治亭主編：《清史》，上海人民出版社 2004 年版

26. 卿希泰主編：《中國道教史》，四川人民出版社 1996 年版

27. 黃仁宇：《萬曆十五年》，中華書局 1982 年版

28. 梁啟超：《清代學術概論》，上海古籍出版社 1998 年版

29. 錢穆：《中國近三百年學術史》，商務印書館 1997 年版

30. 余英時：《論戴震與章學誠》，三聯書店 2000 年版

[三 ••• 中國近現代歷史之大勢]

毛澤東
••• •

半殖民地、半封建的近代中國社會

　　帝國主義列強侵入中國的目的，決不是要把封建的中國變成資本
主義的中國。帝國主義列強的目的和這相反，它們是要把中國變成它
們的半殖民地和殖民地。

　　一、向中國舉行多次的侵略戰爭，例如 1840 年的英國鴉片戰
爭，1857 年的英法聯軍戰爭，1884 年的中法戰爭，1894 年的中日戰
爭，1900 年的八國聯軍戰爭。⋯⋯這樣，就大大地打擊了中國這個
龐大的封建帝國。

　　二、帝國主義列強強迫中國訂立了許多不平等條約，根據這些不
平等條約，取得了在中國駐紮海軍和陸軍的權利，取得了領事裁判
權，並把全中國劃分為幾個帝國主義國家的勢力範圍。

　　三、帝國主義列強根據不平等條約，控制了中國一切重要的通商
口岸，並把許多通商口岸劃出一部分土地作為它們直接管理的租界。

因此它們便能夠大量地推銷它們的商品，把中國變成它們的工業品的市場，同時又使中國的農業生產服從於帝國主義的需要。

四、帝國主義列強還在中國經營了許多輕工業和重工業的企業，以便直接利用中國的原料和廉價的勞動力，並以此對中國的民族工業進行直接的經濟壓迫，直接地阻礙中國生產力的發展。

五、帝國主義列強經過借款給中國政府，並在中國開設銀行，壟斷了中國的金融和財政。因此，它們就不但在商品競爭上壓倒了中國的民族資本主義，而且在金融上、財政上扼住了中國的咽喉。

六、帝國主義列強從中國的通商都市直至窮鄉僻壤，造成了一個買辦的和商業高利貸的剝削網，造成了為帝國主義服務的買辦階級和商業高利貸階級，以便利其剝削廣大的中國農民和其它人民大眾。

七、於買辦階級之外，帝國主義列強又使中國的封建地主階級變為它們統治中國的支柱。

八、為了造成中國軍閥混戰和鎮壓中國人民，帝國主義列強供給中國反動政府以大量的軍火和大批的軍事顧問。

九、帝國主義列強在所有上述這些辦法之外，對於麻醉中國人民的精神的一個方面，也不放鬆，這就是它們的文化侵略政策。傳教，辦醫院，辦學校，辦報紙和吸引留學生等，就是這個侵略政策的實施。其目的，在於造就服從它們的知識幹部和愚弄廣大的中國人民。

十、從一九三一年「九一八」以後，日本帝國主義的大舉進攻，更使已經變成半殖民地的中國的一大塊土地淪為日本的殖民地。

由此可以明白，帝國主義列強侵略中國，在一方面促使中國封建社會解體，促使中國發生了資本主義因素，把一個封建社會變成了一

個半封建的社會；但是在另一方面，它們又殘酷地統治了中國，把一個獨立的中國變成了一個半殖民地和殖民地的中國。

這個半殖民地、半封建的社會，有如下的幾個特點：

一、封建時代的自給自足的自然經濟基礎是被破壞了；但是，封建剝削制度的根基──地主階級對農民的剝削，不但依舊保持著，而且同買辦資本和高利貸資本的剝削結合在一起，在中國的社會經濟生活中，占著顯然的優勢。

二、民族資本主義有了某些發展，並在中國政治的、文化的生活中起了頗大的作用；但是，它沒有成為中國社會經濟的主要形式，它的力量是很軟弱的，它的大部分是對於外國帝國主義和國內封建主義都有或多或少的聯繫的。

三、皇帝和貴族的專制政權是被推翻了，代之而起的先是地主階級的軍閥官僚的統治，接著是地主階級和大資產階級聯盟的專政。在淪陷區，則是日本帝國主義及其傀儡的統治。

四、帝國主義不但操縱了中國的財政和經濟的命脈，並且操縱了中國的政治和軍事的力量。在淪陷區，則一切被日本帝國主義所獨佔。

五、由於中國是在許多帝國主義國家的統治或半統治之下，由於中國實際上處於長期的不統一狀態，又由於中國的土地廣大，中國的經濟、政治和文化的發展，表現出極端的不平衡。

六、由於帝國主義和封建主義的雙重壓迫，特別是由於日本帝國主義的大舉進攻，中國的廣大人民，尤其是農民，日益貧困化以至大批地破產，他們過著飢寒交迫的和毫無政治權利的生活。中國人民的

貧困和不自由的程度，是世界所少見的。

　　帝國主義和中華民族的矛盾，封建主義和人民大眾的矛盾，這些就是近代中國社會的主要的矛盾。這些矛盾的鬥爭及其尖銳化，就不能不造成日益發展的革命運動。偉大的近代和現代的中國革命，是在這些基本矛盾的基礎之上發生和發展起來的。

（節選自毛澤東《中國革命與中國共產黨》，《毛澤東選集》第 2 卷，

人民出版社 1991 年版）

編選說明 ● ● ●

　　1939 年，抗日正處於相持階段，抗日戰爭民族統一戰線中，爭奪領導權的鬥爭尖銳起來。國民黨開動宣傳機器，製造輿論，反對共產黨及其領導的中國革命。在國民黨宣傳攻勢下，如何統一全黨的思想，進而使全國人民認識中國共產黨在中國革命中的重要地位，就成為擺在共產黨人面前的一個重要問題。毛澤東《中國革命與中國共產黨》一文就是在這種背景下發表的。它對中國社會和中國革命的一系列根本問題作了全面系統的闡述。毛澤東指出：認清中國的國情，是認清一切革命問題的基本的根據。因此文章首先分析了中國的社會性質。在總結中國的基本國情和封建社會的基本特點的基礎上，文章指出：鴉片戰爭以後中國由封建社會逐步淪為半殖民地半封建社會。因此，中國社會的主要矛盾也就演變為帝國主義和中華民族、封建主義和人民大眾的矛盾。這些國情決定中國革命的對象是帝國主義和封建

主義，革命的主要任務是推翻帝國主義和封建主義的統治，無產階級
是中國革命的最基本的動力，農民階級是革命的主力軍，民族資產階
是同盟軍。《中國革命和中國共產黨》較系統地提出了新民主主義革
命的理論，對推動中國革命事業的發展起到了重要作用。

毛澤東

● ● ●

中國抗日戰爭的發展規律

　　中日戰爭不是任何別的戰爭，乃是半殖民地半封建的中國和帝國主義的日本之間在 20 世紀 30 年代進行的一個決死的戰爭。全部問題的根據就在這裏。分別地說來，戰爭的雙方有如下互相反對的許多特點。

　　日本方面：第一，它是一個強的帝國主義國家，它的軍力、經濟力和政治組織力在東方是一等的，在世界也是五六個著名帝國主義國家中的一個。這是日本侵略戰爭的基本條件，戰爭的不可避免和中國的不能速勝，就建立在這個日本國家的帝國主義制度及其強的軍力、經濟力和政治組織力上面。然而第二，由於日本社會經濟的帝國主義性，就產生了日本戰爭的帝國主義性，它的戰爭是退步的和野蠻的。時至 20 世紀 30 年代的日本帝國主義，由於內外矛盾，不但使得它不得不舉行空前大規模的冒險戰爭，而且使得它臨到最後崩潰的前夜。從社會行程說來，日本已不是興旺的國家，戰爭不能達到日本統治階級所期求的興旺，而將達到它所期求的反面——日本帝國主義的死亡。這就是所謂日本戰爭的退步性。跟著這個退步性，加上日本又是一個帶軍事封建性的帝國主義這一特點，就產生了它的戰爭的特殊的野蠻性。這樣就要最大地激起他國內的階級對立、日本民族和中國民族的對立、日本和世界大多數國家的對立。日本戰爭的退步性和野蠻

性是日本戰爭必然失敗的主要根據。還不止此，第三，日本戰爭雖是在其強的軍力、經濟力和政治組織力的基礎之上進行的，但同時又是在其先天不足的基礎之上進行的。日本的軍力、經濟力和政治組織力雖強，但這些力量之量的方面不足。日本國度比較地小，其人力、軍力、財力、物力均感缺乏，經不起長期的戰爭。日本統治者想從戰爭中解決這個困難問題，但同樣，將達到其所期求的反面，這就是說，它為解決這個困難問題而發動戰爭，結果將因戰爭而增加困難，戰爭將連它原有的東西也消耗掉。最後，第四，日本雖能得到國際法西斯國家的援助，但同時，卻又不能不遇到一個超過其國際援助力量的國際反對力量。這後一種力量將逐漸地增長，終究不但將把前者的援助力量抵消，並將施其壓力於日本自身。這是失道寡助的規律，是從日本戰爭的本性產生出來的。總起來說，日本的長處是其戰爭力量之強，而其短處則在其戰爭本質的退步性、野蠻性，在其人力、物力之不足，在其國際形勢之寡助。這些就是日本方面的特點。

　　中國方面：第一，我們是一個半殖民地半封建的國家。在軍力、經濟力和政治組織力各方面都顯得不如敵人。戰爭之不可避免和中國之不能速勝，又在這個方面有其基礎。然而第二，中國近百年的解放運動積纍到了今日，已經不同於任何歷史時期。各種內外反對力量雖給瞭解放運動以嚴重挫折，同時卻鍛鍊了中國人民。今日中國的軍事、經濟、政治、文化雖不如日本之強，但在中國自己比較起來，卻有了比任何一個歷史時期更為進步的因素。中國共產黨及其領導下的軍隊，就是這種進步因素的代表。中國今天的解放戰爭，就是在這種進步的基礎上得到了持久戰和最後勝利的可能性。中國是如日方升的

國家，這同日本帝國主義的沒落狀態恰是相反的對照。中國的戰爭是進步的，從這種進步性，就產生了中國戰爭的正義性。因為這個戰爭是正義的，就能喚起全國的團結，激起敵國人民的同情，爭取世界多數國家的援助。第三，中國又是一個很大的國家，地大、物博、人多、兵多，能夠支持長期的戰爭，這同日本又是一個相反的對比。最後，第四，由於中國戰爭的進步性、正義性而產生出來的國際廣大援助，同日本的失道寡助又恰恰相反。總起來說，中國的短處是戰爭力量之弱，而其長處則在其戰爭本質的進步性和正義性，在其是一個大國家，在其國際形勢之多助。這些都是中國的特點。

　　這樣看來，日本的軍力、經濟力和政治組織力是強的，但其戰爭是退步的、野蠻的，人力、物力又不充足，國際形勢又處於不利。中國反是，軍力、經濟力和政治組織力是比較弱的，然而正處於進步的時代，其戰爭是進步的和正義的，又有大國這個條件足以支持持久戰，世界的多數國家是會要援助中國的。——這些，就是中日戰爭互相矛盾著的基本特點。這些特點，規定了和規定著雙方一切政治上的政策和軍事上的戰略戰術，規定了和規定著戰爭的持久性和最後勝利屬於中國而不屬於日本。

　　（節選自毛澤東《論持久戰》，本文摘自《毛澤東選集》第 2 卷，人民出版社 1991 年版）

編選說明 ● ● ●

　　《論持久戰》一書，是毛澤東於 1938 午 5 月 26 日至 6 月 3 日在延安抗日戰爭研究會上的講演稿。這是一部偉大的馬列主義的經典軍事理論著作，被譽為世界十大軍事名著之一。抗戰全面爆發後，在國民黨內出現了「速勝論」和「亡國論」等論調。在共產黨內，也有一些人寄望於國民黨正規軍的抗戰，輕視游擊戰爭。但是，抗戰 10 個月的實踐證明「亡國論」「速勝論」是完全錯誤的。抗日戰爭的發展前途究竟如何？一時成了人們關注的問題。1938 年 5 月，毛澤東寫的《論持久戰》初步總結了全國抗戰的經驗，批駁了當時盛行的種種錯誤觀點，系統闡明了黨的抗日持久戰方針，對指導中國抗日戰爭取得勝利發揮了重要作用。

愛德格・斯諾

大渡河上的英雄

　　強渡大渡河是長征中關係最重大的一個事件。如果當初紅軍渡河失敗，就很可能遭到殲滅了。這種命運，歷史上是有先例的。也就是在這個峽谷之中，太平天國的殘部，翼王石達開領導的十萬大軍，在 19 世紀遭到名將曾國藩統領的清朝軍隊的包圍，全軍覆沒。蔣介石總司令現在向他的四川的盟友地方軍閥劉湘和劉文輝，向進行追擊的政府軍將領發出電報，要他們重演一次太平天國的歷史。紅軍在這裏必然覆滅無疑。

　　但是紅軍也是知道石達開的，知道他失敗的主要原因是貽誤軍機。石達開到達大渡河岸以後，因為生了兒子——小王爺——休息了三天，這給了他的敵人一個機會，可以集中兵力來對付他，同時在他的後方進行迅速包抄，斷絕他的退路。

　　紅軍決心不要重蹈他的覆轍。他們從金沙江迅速北移到四川境內，很快就進入驍勇善戰的土著居民、獨立的彞族區。

　　率領紅軍先鋒部隊的是指揮員劉伯承，他曾在四川一個軍閥的軍隊裏當過軍官。劉伯承熟悉這個部落民族，熟悉他們的內爭和不滿。他奉命前去同彞族的首領進行談判。劉伯承在彞族的總首領面前同他一起飲了新殺的一隻雞的血，他們兩人按照部落傳統方式，歃血為盟，結為兄弟。

　　這樣，一軍團的一個先鋒師在林彪率領下到達了大渡河。從高處往河岸望去，又驚又喜地發現三艘渡船中有一艘係在大渡河的南岸！命運再一次同他們交了朋友。

　　先鋒部隊的五個連每連出了 16 個戰士自告奮勇搭那艘渡船過河，把另外兩艘帶回來……第一艘渡船回來了，還帶回了另外兩艘，第二次過河每條船就載過去 80 個人。敵人已經全部逃竄。當天的白天和晚上，第二天，第三天，安順場的三艘渡船不停地來回，最後約有一師人員運到了北岸。

　　但是河流越來越湍急。渡河越來越困難。第三天渡一船人過河需要四個小時。照這樣的速度，全部人馬輜重過河需要好幾個星期才行。這時一軍團已擠滿了安順場，後面還有側翼縱隊，輜重部隊，後衛部隊陸續開到。蔣介石的飛機已經發現了這個地方，大肆轟炸。敵軍從東南方向疾馳而來，還有其它部隊從北方趕來。

　　安順場以西四百里，峽谷高聳，河流又窄、又深、又急的地方，有條有名的鐵索懸橋叫做瀘定橋，是大渡河上西藏以東的最後一個可以過河的地方。現在赤腳的紅軍戰士就沿著峽谷間迂迴曲折的小道，赤足向瀘定橋出發。如果他們能夠佔領瀘定橋，全軍就可以進入川中，否則就得循原路折回，經過彝族區回到雲南，向西殺出一條路來到西藏邊境的麗江，迂迴一千多里，很少人有生還希望。

　　南岸主力西移時，已經過河到了北岸的一師紅軍也開動了。峽谷兩岸有時極窄，兩隊紅軍隔河相叫可以聽到。有時又極遼闊，使他們擔心會從此永遠見不了面，於是他們就加快步伐。他們在夜間擺開一字長蛇陣沿著兩岸懸崖前進時，一萬多把火炬照映在夾在中間的河面

上，彷彿萬箭俱發。

　　第二天，北岸的先鋒部隊落在後面了。四川軍隊沿路設了陣地，發生了接觸。南岸的戰士就更加咬緊牙關前進。不久，對岸出現了新的部隊，紅軍從望遠鏡中看出他們是白軍增援部隊，趕到瀘定橋去的！這兩支部隊隔河你追我趕，整整一天之久，紅軍先鋒部隊是全軍精華，終於把敵軍甩到後面去了。

　　瀘定橋建橋已有數百年的歷史，同華西急流深河上的所有橋樑一樣都是用鐵索修成。一共有十六條長達一百多碼的粗大鐵索橫跨在河上，鐵索兩端埋在石塊砌成的橋頭堡下面，用水泥封住。鐵索上面鋪了厚木板作橋面，但是當紅軍到達時，他們發現已有一半的木板被撬走了，在他們面前到河流中心之間只有空鐵索。在北岸的橋頭堡有個敵軍的機槍陣地面對著他們，後面是一師白軍據守的陣地。

　　時不可失，必須在敵人援軍到達之前把橋佔領，於是再一次徵求志願人員。紅軍戰士一個個站出來願意冒生命危險，在報名的人中最後選了 30 個人。他們身上背了毛瑟槍和手榴彈，馬上就爬到沸騰的河流上去了，緊緊地抓住了鐵索一步一抓地前進。紅軍機槍向敵軍碉堡開火。敵軍也以機槍回報，狙擊手向著在河流上空搖晃地向他們慢慢爬行前進的紅軍射擊。第一個戰士中了彈，掉到了下面的急流中，接著又有第二個，第三個。

　　終於有一個紅軍戰士爬上了橋板，拉開一個手榴彈，向敵人碉堡投去，一擲中的。又有幾個紅軍爬了過來。敵人把煤油倒在橋板上，開始燒橋。但是這時已有二十個左右紅軍匍匐向前爬了過來，把手榴彈一個接著一個投到了敵軍機槍陣地。進攻的紅軍全速前進，冒著火

焰沖過了餘下的橋板，縱身跳進敵人的碉堡，把敵人丟棄的機槍掉過頭來對準岸上。

　　這時便有更多的紅軍蜂擁爬上了鐵索，趕來撲滅了火焰，鋪上了新板。不久，全軍就興高采烈地一邊放聲高唱，一邊渡過了大渡河，進入了四川境內。

　　（節選自愛德格·斯諾《西行漫記》，三聯書店 1979 年中文版）

編選說明 ●●●

　　愛德格·斯諾（1905—），美國著名的記者，1936 年 6 月至 10 月對中國西北革命根據地的軍民生活，地方政治改革，民情風俗習慣等作了廣泛深入的調查。根據考察所掌握的第一手材料完成了《西行漫記》的寫作，對中國共產黨和中國革命作了客觀評價，並向全世界作了公正報導。斯諾同毛澤東、周恩來等進行了多次長時間的談話，掌握了許多紅軍長征的第一手資料，他對紅軍長征的記述真實、可靠。

費正清

清朝中期以前的中國外交策略

　　在對外關係方面，19 世紀初期的中國國家和社會仍然認為自己是東亞文明的中心。它和周圍非中國人的關係是假定以中國為中心的優越感這一神話為前提的。但用這種方式來解決對外關係問題，是有一個緩慢的演變過程的。古代華北平原的中國人曾經做了許多嘗試來對付那些可能從長城外面的草原侵入這一地區的野蠻部族的騎兵。當足夠強大時，中國人能夠征服他們或把他們逐出中國領土。當不夠強大時，中國人就與他們斷絕往來，或者給他們糧食、絲綢，甚至用公主和親來換取和平。當中國衰弱時，人數眾多的中國人仍然能夠同化人數很少的蠻夷入侵者。但是很難長久地與他們建立平等的關係。根本的問題在於中國人用一套金字塔式等級制度來安排他們的事物。沒有全體中國人對皇帝的至高無上地位的默許，他在中國國內的地位是無法維持的。這就同樣要求野蠻部族也接受君臣關係。

　　中國這個國家已經逐漸形成了自己在世界秩序中的形象，即雄踞於中國舞臺之巔的天子是光被四表的。地理距離越大的外國蠻夷與皇帝的關係也就越淡，但不管怎樣，他們仍得臣屬於皇帝。和中國皇帝只能保持藩屬關係這種觀念雖然不時受到重創，但一直延續了下來。

　　1368 年明朝建立，中國人的力量得以復興，因此為重新樹立中國傳統的優越感提供了一個心嚮往之的機會。明代的第一個皇帝和他

的強有力的繼承者，樹立了古老的儒家德治思想。為了從在他們所知道的世界內爭取各國朝貢，他們力圖顯示天子的一視同仁，以證明他的至高無上的地位。他們也表現出了家長式的慷慨大度。

清朝進一步發展了中國天子慷慨地允許非中國人加入文明體制的宏圖大略。還在 1644 年以前清朝就已在滿洲特設了理藩院，來維護滿族統治者對它的亞洲腹地的同盟者——首先是蒙古人——的優越地位。清朝皇帝從一開始就用這種辦法統治漢人和非漢人。對漢人他運用前述兩個體系來統治，即通過地方官吏集團的官僚政府及通過私人臣屬關係。與皇帝有人身依附關係的藩封，首先是與皇帝有血緣關係的皇族。然後又擴大到包括中國國內的「內藩」。所有這些藩屬都有世襲身份。然後再擴大到「外藩」，他們位於中國本土之外，然而也屬於皇帝關心的範圍之內。他們也得到封號並且要進貢。

在應付這些不同類型的非中國的統治者時，北京的天子有一整套老練的方法和手段。首先是軍事力量，它在中國各省進行彈壓，也可以開往邊境甚至遠征國外。其次是官僚政治的「法」的體系，利用它就可以通過頭人對非漢人的土著居民實行政治統治，完全像對漢人本身實行的統治那樣。第三是德治，即通過顯示天子的德威，來發揮合乎準繩或思想意識的道德榜樣的影響。利用宗教的影響是這一手段的變種。最後，對於那些由於地理上的距離和文化上的差異而使武力、行政或者道德示範均感鞭長莫及的非中國人，中國統治者卻擅長於使用物質利益的一套手段。這首先是採取允許通商的形式，也採取賜贈禮品的形式。外國人確有貪得無厭之心，但可用來誘使他們行禮，如此以便納入中國人對事物的體制中去。例如 1795 年荷蘭使節在尋求

貿易特許時，在清朝宮廷裏頻演行叩頭禮，即其明證。最後，中國統治者還有一套外交技巧，有時玩弄一視同仁，有時又搞以夷制夷，總之是萬變不離其宗。

　　清王朝繼承了中國人的許多權變手段並結合著自覺的征服者所特有的活力，因為他們只是不到一百萬人的一個小小的少數民族，他們知道為了生存必須緊緊團結。他們擅長於進行戰爭和把持權力。

　　清初的統治者建立了驚人的業績。努爾哈赤在他於 1636 年去世以前，已經在南滿建立了一個漢化的國家，並且創立了作為攻擊力量的八旗制度。他的繼承者皇太極征服或者改編了蒙古人和漢人同盟者，在他們當中推廣了八旗制度。還置朝鮮于屬國地位。多爾袞，完成了對中國北部的佔領。康熙打敗了三藩、控制了臺灣，並且通過 1689 年的尼布楚條約把俄國人從黑龍江流域趕走。後來他又在 1696 年戰勝了以噶爾丹為首的西蒙古人，從而保住了清廷對東部外蒙古的控制。

（節選自費正清《劍橋中國晚清史》，中國社會科學出版社 1995 年版）

編選說明 ● ● ●

　　費正清（1907—1991），美國著名漢學家、歷史學家，哈佛大學終身教授，哈佛大學東亞研究中心的創始人。

　　在英語世界中，劍橋歷史叢書自 20 世紀起，已為多卷本的歷史著作樹立了樣板，其特點是各章均由某個專題的專家執筆，而由各卷

學術地位較高的編輯中的主導編輯總其成。關於中國史先後出版了
《劍橋中國秦漢史》《劍橋中國隋唐史》《劍橋中國晚清史》《劍橋中
華民國史》等多卷。

　　由費正清主編的《劍橋中國晚清史》，共分十一章，從政治、經
濟、軍事、外交等方面，對中國晚清史作了全面的闡述。1985 年 2
月在美國出版後，受到學術界廣泛重視，引起了中美史學界對晚清史
的一系列探討。在《劍橋中國晚清史》上卷「第一章導言：舊秩序」
之第四目「對外關係」中，作者詳細地論述了晚清中國的對外政策措
施，為我們理解晚清中國的外交史提供了一個新鮮的視角。

施堅雅

● ● ●

中華帝國晚期的城市體系及結構

　　大部分中國人想到中國的疆域時，是從省、府和縣這一行政區劃出發的。根據行政區劃來認知空間在明清時甚至更為顯著。那時人們不可避免地用行政地域來描述一個人的本籍——表明其身份的關鍵因素。

　　這種把中國疆域概念化為行政區域的特點，阻礙了我們對另一種空間層次的認識，這種空間層次結構與前者相當不同，我們稱之為由經濟中心地及其從屬地區構成的社會經濟層級。就一般情況而言，在明清時期，一個地方的社會經濟現象更主要是受制於它在本地以及所屬區域經濟層次中的位置，而不是政府的安排。

　　就中國的情形而言，作為大經濟區域經濟的頂級城市的大都市，處在不同程度上整合成一體的中心地層級的最高層。這個層級向下則延伸到農村的集鎮。集市體系以這些集鎮為中心，一般包括十五至二十個村莊，組成了構築經濟層級的基本單位。由此而上，層次越高，社會經濟體系越趨廣大和複雜，中心地在其中起著聯結點的作用，通過複雜的互相疊蓋的網路，每一層次的社會經濟體系又上連於更高層次的體系。大區域經濟——比如以珠江三角洲和以成都平原為中心的大區——可以被視為一個由本地和區域系統逐層構成的層級結構。大區的核心——邊緣結構——實際上為一從中心到邊緣的共中心

的連續區域。區域體系理論的中心觀點是，不僅大區域經濟具有核心──邊緣結構，它的每一層級上的區域系統均呈現和大區的核心──邊緣結構類似的內部差距。因此，每個本地和區域體系均是一個有聯結點的、有地區範圍的、而又有內部差距的人類相互作用的體制。最後，一個體系處在不斷的、有規律的運動之中，包括商品、服務、貨幣、信貸、訊息、象徵的活動以及擔當多種角色和身份的人的活動。鎮和市處於一個體系的中心，起著聯結和整合在時空中進行的人類活動的作用。

區域的發展不僅關係到經濟的發展與蕭條，也關係到人口的增長與停滯、社會的發展與倒退、組織的擴展與收縮，以及社會秩序的和平與混亂。此外，由最低層的集市而上，每一層次中的體系均有其獨特的運作模式和歷史，它可被視作人類相互作用的時空體系。在此時空體系中，與空間結構上的差異性一樣，時間結構上的差異也顯示了一個體系的特徵。

將中國的區域概念化為一個有重疊層次的、以鎮和市為中心的結構，原本是用來分析現代化之前的農業社會。然而，19 世紀 90 年代的中國已經是一個部分現代化了的、相當發展了的、農業的重要性已大為減弱的國家，這種分析方法是否仍然適用？

我們用 1990 年資料分析得出的結果證明，明清時期形成的各大區體系至今依然存在，其持續性非常突出。雖然當我們仔細比較 1980 年和 1990 年各大區的地理時，會發現某些邊緣地區的疆界有了變化，這些變化只有一項是有重要意義的，即長江下游大區已朝北擴展，把淮河河谷的一部分地區包括進去；朝南則包含了屬於東南沿海

的甌靈地區。長江下游大區範圍的擴展反映出其經濟的持續活力，以及作為其中心大都市的上海的越趨重要的中心作用。儘管大區間的範圍有了某些變化，其核心與 19 世紀 90 年代相比，相差甚微。

　　在各大區中，中心大都市在整合其城市體系中的作用仍然十分重大。東北和雲貴這兩個大區在 19 世紀 90 年代開始出現，其中心大都市——瀋陽和昆明——一百年前已在其大區經濟中起著主導作用。其餘各大區中，成都和重慶並列為長江上游大區的中心大城市，武漢為長江中游大區的中心大都市，上海為長江下游大區的中心大都市，福州為東南沿海大區的中心大都市，廣州為嶺南大區的中心大都市，西安和太原並列為西北大區的中心大都市，北京和天津為北方大區的中心大都市。這種佈局在一百年前是如此，目前依然是如此。此外，幾乎所有的資料都表明，20 世紀 90 年代大區內的空間差異比之一百年前更加顯著。中國都市體系引人注目的持續性及其變化之緩慢，反映出這一惰性。這種惰性是由多方面因素合成的，如水路航運結構基本如舊，因投入城市及陸路交通建設的資本浩大而難以棄舊更新，普遍存在的受地形制約的昂貴運輸費用以及報酬遞增這一不可抗拒的經濟規律的作用等。

（節選自施堅雅著，葉光庭等譯《中華帝國晚期的城市》，中華書局
2000 年版）

編選說明 ●●●

　　施堅雅（1925—2008 年），美國國家科學院院士、大衛斯加州大學人類學系教授。施堅雅教授一生致力於人類學、人口學和歷史經濟區劃等研究，著述豐盛，代表作主要有《東南亞華人》《社會科學與泰國》《泰國的華人社會史》《泰國華人社團的領導和權力》等，在國際學術界享有崇高的聲譽。

　　施堅雅教授曾在墨西哥、泰國、印尼、日本等地進行田野考察。1950—1951 年曾到中國四川考察，1977 年曾考察中國城市市場。1979 年在美國出版《中華帝國晚期的城市》，從城市的建立與擴展，發展的形式與原因；城市之間以及城市與鄉村間的聯繫；城市內部的社會結構三方面展示了傳統中國城市的多彩畫面。

黃宗智

● ● ●

近代華北平原的小農經濟

　　華北平原上的冀——魯西北地方，其特點是：小型和大型的水利工程，是與由個體小農和建於其上的國家機器一齊組成的政治經濟體制相適應的；低產、多災的旱作農業與高人口密度結合，造成本區經濟的貧困；本區排水不良的東部，與排水較好的西部地區存在基本差別；集結的聚居、加上商品化程度低和宗族組織薄弱，是本區自然村的高度閉塞性的生態基礎。

　　河北和山東西北部的小農經濟，受到帝國主義怎樣的影響？世界商品市場、日本侵略和國內工業化結合而產生的影響，形成了一個結構上異於過去的棉業經濟。冀——魯西北大片地區，受棉花種植的影響不大。只有一成以下的耕地種棉；這些縣的自然村，在很大程度上仍然是孤立分散的單位，與國家和世界經濟系統的連接有限。世界經濟並沒有使小農經濟崩潰，只是促使小農經濟沿著原先變化的道路更向前推進。20世紀的變化形式與原則，和過去基本相同：經濟作物的種植，同時提高了小農的收益和成本，因而導致了他們的分化。

　　如果小農經濟在商品化的進程中的確是在向以雇傭勞動為基礎的大農場發展，那它不正是向資本主義過渡嗎？在人口過剩、有數以百萬計的從農村流離出來的遊民的中國，自由雇傭勞動力的存在，並不足以證明生產力開始有本質上的突破。經營式農場的生產率是否真的

高於小家庭農場？經營式農場產量並不一定高於或低於一般小農場，不論是經濟作物還是糧食作物，經營式農場的產量同樣地可能高於平均數，也可能低於平均數。

如果經營式和家庭式農場在技術、土地、「資本」（畜力、肥料等）的運用方面確實沒有分別，那麼，它們在勞動力運用方面有沒有分別呢？在單位面積產量上，兩者雖然大致相同，但經營式農場花的勞動量要比家庭式農場少得多。真正的道理是兩類農場對人口壓力的反應不同。由於經營式農場是一個使用雇傭勞動來爭取最高利潤的組織，因而不會容許農場存在多餘勞動力；而家庭式農場則往往沒有選擇的餘地。

100 至 200 畝的經營式農場，為什麼沒有作出革新性的農業投資？清代社會，包含兩個分離而又相關聯的社會系統。在這個系統中，社會地位的提升，大部分由於和國家政權搭上關係，或由於經商致富，或兩者兼而有之。一個士紳或富商家庭，完全可以在幾次分家後降到下面的階層。而一個成功的經營式農場主，同樣地可能變成地主，從事商業，並通過科舉制度升入仕途。小農經濟本身確有分化的內部動力；少數家庭式農場主成為富農或經營式農場主。但後者碰上的是一個隻允許循農業以外途徑晉升上層社會的體系。經營式農作，於是無可避免地再度轉化為小農經濟的地主經營，以及建於其上的政治體系。

小農經濟為什麼能夠在其半數以上的家庭遭受巨大壓力的情況下，仍然如此堅韌地維持下來？人口壓力和社會分層結合起來，在一個停滯的小農經濟上導致了一個特別惡性的頑固體系。貧農被困於同

時依賴家庭式農作和傭工來求生，無法擺脫其一，又不得不忍受兩者所賦予的低於維持生活所需的收入。他們的廉價勞動，又轉過來支撐著一個寄生性的地主制，和一個停滯的經營式農業。貧農們，甚於農村其它社會階層的人，必須在人口過剩和不平等的生產關係的雙重壓力下掙扎生存。

　　明清時期的國家政權，採取了間接的統治方式，即通過嚴密控制的科舉制度，掌握進入社會上層的途徑，憑藉爬升上層的誘餌，以換取村莊領導階層對這個制度的忠誠。20 世紀農場經濟的加速商品化，以及小農的半無產化，對村莊的結構有深遠的影響。以自耕農為主而生活又比較穩定的村莊，在對付外來威脅時表現比較緊密內聚。反之，村中大部分小農都已半無產化了的村莊，在面臨外來威脅時比較容易崩潰，也易於被不軌之徒僭取村內政權。清末民初，地方政府的機構和權力，伴隨著新設立的基層政權機關、武裝單位以及現代員警和學校而擴張。在部分村莊，國家政權的滲入和村莊共同體本身的衰弱這兩個方面的互相影響，導致舊日關係的劇變，使地方上的「土豪」和「惡霸」有可乘之機，來濫用政權、蹂躪村莊。由於地方政權、農民和村莊在 20 世紀的變化，使舊的國家、士紳和村莊的三角關係受到了新的壓力，最後導致了一套完全不同的國家──社會關係，和一個新的社會政治結構的出現。

　　清初的冀──魯西北地方是一個人口比較稀少、商品化程度較低的地區。除了清廷分封的莊園之外，這是一個以自耕農為主的未經階級分化的社會。到本世紀 30 年代時，此地區已變成了一個人口密集、地主和佃農、雇工和雇主階級相當分明的社會。三個世紀以來的

人口增長，給耕地帶來了嚴重的壓力。同時，商業性農業的成長，又促進了階級的分化──獲利於經濟作物和因經濟作物的風險而遭受損失的兩種小農之間的分化。世界資本主義的侵入並未造成資本主義的社會經濟結構，它只加速了本地區原有的社會經濟變化。

（選自黃宗智《華北的小農經濟與社會變遷》，中華書局 2004 年版）

編選說明 ●●●

黃宗智（1940—），美國著名歷史學家。加利福尼亞大學洛杉磯分校歷史系教授，中國研究中心主任，《近代中國》季刊（ModernChina）創辦人。主要研究明清以來中國社會史、經濟史和法律史。代表作有：《法律、習俗、與司法實踐：清代與民國的比較》《清代的法律、社會、與文化：民法的表達與實踐》《中國研究的規範認識危機》《長江三角洲的小農家庭與鄉村發展》《華北的小農經濟與社會變遷》等。

該書採用了 20 世紀 30 年代的農村調查資料和檔案資料，旨在探討村莊組織與社會經濟結構之間的關係。作者用農業「內卷化」概念解釋了華北小農經濟體系，對中國歷史學界產生了深刻的影響。

杜贊奇

鄉村社會中的權力文化網路

　　在 1900 年（新舊世紀之交）前後，鄉村社會中的政治權威體現在由組織和象徵符號構成的框架之中，我將這一框架稱為權利的文化網路。文化網路由鄉村社會中多種組織體系以及塑造權利運作的各種規範構成，它包括在宗族、市場等方面形成的等級組織或巢狀類型組織。這些組織既有以地域為基礎的有強制義務的團體（如某些廟會），又有自願組成的聯合體（如水會和商會）。文化網路還包括非正式的人際關係網，如血緣關係、庇護人與被庇護人、傳教者與信徒等關係。從外觀上看，這一網路似乎並無什麼用處，但它是權威存在和施展的基礎。任何追求公共目標的個人和集團都必須在這一網路中活動，正是文化網路構成了鄉村社會及其政治的參照座標和活動範圍。

　　「權力的文化網路」中的「文化」一詞是指各種關係與組織中的象徵與規範。這種象徵性價值賦予文化網路一種受人尊敬的權威，它反過來又激發人們的社會責任感、榮譽感——它與物質利益既相區別又相聯繫——從而促使人們在文化網路中追求領導地位。

　　市場體系與其它組織一同連接為文化網路。市場並不是決定鄉村大眾交易活動的唯一因素，村民紐帶在提供多種服務、促成交易方面起著重要的作用。從文化網路的視角來看，是市場體系及村民紐帶聯

合決定了鄉村經濟交往。姻親關係在文化網路中起著什麼作用？一般來說，這種親戚關係往往將普通人家與更有權威和正式的宗族以及行政組織聯繫起來，使他們更易接近鄉村社會中的各種資源。如此，通過人際關係這種姻親聯絡將不同類型的組織聯結起來，從而為文化網路中提供了又一種黏合方式。

宗族在典章、儀式及組織方面的特徵使它成為權力的文化網路中一典型結構。村務管理、公共活動及構成公會成員名額的分配，都是以宗族或亞宗族為劃分的基礎。宗教的等級制度、聯繫網路、信仰、教義及儀式是構成權力的文化網路的重要因素。宗族和宗教組織都不能完全解釋村莊的領導結構和權力分配，它只是說明我們理解在文化網路中合法權威賴以存在的重要基礎。

祭祀制度與水利組織之間的關係揭示了文化網路中的一個重要特徵：鄉村社會中的權威既不是為上層文化所批准的儒家思想的產物，也不是某種觀念化的固定集團所創造的。鄉村權威產生於代表各宗派、集團以及國家政權的通俗象徵的部分重疊及相互作用之中。

到 19 世紀末，清朝政府通過雙重經紀來徵收賦稅並實現其主要的統治職能。「經紀」是交易中一方的代理人，他常常收取一定的傭金，我稱這種「國家經紀」為贏利性經紀，與之相對應的是保護型經紀——村社自願組織起來負責徵收賦稅並完成國家指派的其它任務。由於贏利性國家經紀視其職權為謀利的手段，故其不能被視為正統權威之母體的文化網路的組成部分。與此相反，保護型經紀體制則包容於文化網路之中。但值得注意的是，保護型經紀體制的含糊職能在影響著文化網路本身。儘管這種保護型體制由鄉村社會領袖們所創建並

賦予其集體價值觀念，但它極易受贏利性經紀的操縱。

　　國家權力的延伸與對社會控制的加強是在自覺的現代化過程中實現的。我將用「國家政權內卷化」這一概念來說明 20 世紀前半期中國國家政權的擴張及其現代化過程。在政權內卷化的過程中，政權的正式機構與非正式機構同步增長。儘管正式的國家政權可以依靠非正式機構來推行自己的政策，但它無法控制這些機構。鄉村社會中的非正式團體代替過去的鄉級政權組織成為一支不可控制的力量。

　　在權力文化網路中，保護體系是由職能複雜的非正式小集團構成的，有別於其它的等級結構。所以，在這些體系中的權威教條往往體現為人際間的相互關係，而不一定代表鄉村社會中制度化的正統價值。但是，以鄉村領袖為中心的保護體系往往間接地加強權力的文化網路中的正統價值。在國家權力的深入，戰亂以及經濟狀況惡化等因素聯合作用下，有聲望的鄉村精英不是逃離村莊，便是由富變窮，那種名副其實的保護人在逐漸減少，村政權落入另一類型的人物手中。

　　現代化政權的新型政治學說並未能成功地找到一種使鄉村領袖和國家政權合法化的傳統文化網路的可行替代物。國家政權完全忽視了文化網路中的各種資源，力圖斬斷其同傳統的、甚至被認為是「落後的」文化網路的聯繫。其結果必然是，儘管鄉村精英領導有與國家利益結為一體的雄心，但文化網路在國家範圍內賦予鄉村精英領導作用的能力卻在喪失。

（節選自杜贊奇著，王福明譯《文化、權力與國家——1900——1942年的華北農村》，江蘇人民出版社 1996 年版）

編選説明 ●●●

　　杜贊奇（Prasenjit Duara），歷史學家、漢學家，印度裔，早年就學於印度，後去美國求學，拜漢學家孔飛力為師，曾任教於美國芝加哥大學歷史學系及東亞語言文明係，現在新加坡國立大學任教。《文化、權力與國家：1900—1942 年的華北農村》，曾先後榮獲 1989 年度美國歷史學會費正清獎以及 1990 年度亞洲研究學會列文森獎。

　　《文化、權力與國家—1900—1942 年的華北農村》主要研究對象為「鄉村社會」和「國家權力的變遷」，主要資料來自於南滿鐵道株式會社調查部 1940—1942 年間調查編成的六卷本《中國慣行調查報告》以及中文材料，包括政府報告、法令彙編、地方志書以及當時學者的研究成果。在寫作過程中作者採用了歷史學與社會學相結合的研究手法，即在研究鄉村社會時，要理解村莊權力結構的變化。作者還創造了一個相容並包的新概念—「權力的文化網路」，將帝國的政權、紳士文化和鄉民社會納入一個共同框架，並將權力、統治等抽象概念與中國社會特有的文化體繫聯結起來，揭示了地方社會中權威的產生、變遷及再生的過程。

康有為

改良派的富民六法

　　夫富國富民之法有六：曰鈔法，曰鐵路，曰機器輪舟，曰開礦，曰鑄銀，曰郵政。

　　今奇窮之餘，急籌鉅款，而可以聚舉國之財，收舉國之利，莫如鈔法。今天下銀號報明貨本，皆存現銀於戶部及各省藩庫，戶部用精工制鈔，自一至百，量其多少，皆給現銀之數，而加其半，許供賦稅祿餉。其大者戶部皆助貨本，其虧者戶部皆代攤償，助其流通，昭彰大信。鉅賈樂借國力，富戶不患倒虧。以十八行省計之，可得萬萬。既有官銀行，上下相通，若有鐵路、船廠大工，可以代籌，軍務、賑務要需，可以立辦。國家借款，不須重息中飽，外國匯款，無須關票作押。公款寄存，可有入息，鈔票通行，可擴商務。今各省皆有銀票錢票，而作偽萬種，利不歸公，何如官中為之，驟可富國哉？此鈔票宜行一。

　　可縮萬里為咫尺，合旬月於晝夜，便於運兵，便於運械，便於賑荒，便於漕運，便於百司走集，便於庶士通學，便於商賈運貨，便於負擔謀生，便於通言語，一風俗。有此數便，不費國帑而可更得數千萬者，莫如鐵路。夫鐵路之利，天下皆知。山海關外，久已興築，今方連兵，其效已見，所未推行直省者，以費巨難籌耳。若一付於民，出費給牌，聽其分築，官選通於鐵路工程者，畫定行省郡縣官路，明

定章程，為之彈壓保護，凡軍務、運兵、運械、賑荒，皆歸官用，酌道里遠近，人數繁寡，收其牌費。吾民集款力自能舉，無使外國收我利權。天下鐵路牌費，西人計之，以為可得七千萬，且可移民出於邊塞，而荒地闢為腴壤，商貨溢於境外，而窮闔化為富民。俄人琿春鐵路將成，邊患更迫，但為防邊已當亟築，況可得鉅款哉？且可裁漕運，而省千萬之需，去驛鋪，而溢三百萬之項。此鐵路宜行二。

機器廠可興作業，小輪舟可便利通達。今各省皆為厲禁，致吾技藝不能日新，製作不能日富，機器不能日精，用器兵器，皆多窳敗，徒使洋貨流行，而禁吾民製造，是自蹙其國也。官中作廠，率多偷減，敷衍欺飾，難望致精，則吾軍械安有起色。德之克虜伯，英之黎姆斯，著於海內，為國大用，皆民廠也。宜縱民為之，並加保護。凡作機器廠者，出費領牌，聽其創造，輪舟之利，與鐵路同，官民商賈，交收其益，亦宜縱民行之，出費領牌，聽其拖駛，可得鉅款。此機器輪舟宜行三。

美人以開金銀之礦富甲四海，英人以開煤鐵之礦雄視五洲。其餘各國開礦，均富十倍。而藏富於地，中國為最，如雲南銅、錫，山西、貴州煤、鐵，湖、廣、江西銅、鐵、鉛、錫、煤，山東、湖北鉛，四川銅、鉛、煤、鐵，其最著者，亙古封禁，留待今日。方今國計日蹙，雖極節儉，豈能濟此艱難哉？家有重寶，而仰屋嗟貧，無策甚矣。山西煤、鐵尤甚，星羅棋佈，有百三十萬方里，苗皆平衍，品亦上上，德人以為甲於五洲，地球用之千年不盡。又外蒙古，阿爾泰山即金山也，長袤數千里，金產最著，苗亦平衍，有整塊數斤者，俄人並為察驗繪圖。至滇、粵之礦，尤為英、法所窺伺，我若不開，他

人入室。今雲南已專設礦務大臣，熱河、開平亦設官局，並著成效。
而未見大利者，皆由礦學之未開，採辦之非人也。礦學以比國為最，
自山色、石紋、草木、苗脈、子色，皆有專書。宜開礦學，專延比人
教之，且為踏勘。購機器以省人工，築鐵路以省轉運，二十取一而無
定額稅，選才督辦而無濫私人，則吾金、銀、煤、鐵之富，可甲地
球。此礦務宜開四。

　　錢幣三品以通有無，其制最古。自濠鏡通商，洋銀流入中國，漸
遍內地，及於京師。觀其正朔，則耶穌之年號，而非吾之紀元也，是
謂無正朔。考其漏巵，則每歲運入約數百萬，進口無稅，八成夾鉛，
而換我足銀，市價漲落七錢二分之重，或有漲至八錢者，多方折耗，
是謂大漏巵。名實俱亡，吾政之失，孰大於是！而吾元寶及綻，形體
既難握攜，分兩又無一定，有加耗、減水、折色、貼費之殊，有庫
平、規平、湘平、漕平之異，輕重難定，虧耗滋多。而彼重率有定，
體圓易握，人情所便，其易流通，固也。查泰西皆用本國之銀，如俄
用盧布，德用馬克，奧用福祿林，英用喜林，外國銀錢不許通用。我
宜自鑄銀錢，以收利權。

　　我朝公牘文移，論旨奏摺，皆由塘驛汛鋪傳遞，而軍務加緊，又
有驛馬遍佈天下。設官數百，養夫數萬，歲費帑三百萬兩，而民間書
箚不得過問。貲費厚重，猶復遠寄艱難，消息浮沉，不便甚矣！查英
國有郵政局寄帶公私文書，境內之信費錢二十，馬車急遞，應時無
失，民咸便之，而歲入一千六百餘萬。我中國人四萬萬，書信更多，
若設郵政局以官領之，遞及私書，給以憑樣，與鐵路相輔而行，消息
易通，見聞易廣，而進坐收千餘萬之款，退可省三百萬之驛，上之利

國，下之便民。此郵政宜行六。

行之六者，國不患貧矣。百姓不患匱乏矣。

（節選自康有為《公車上書》，出自中國史學會主編《中國近代史資
料叢刊·戊戌變法》，上海人民出版社 1961 年版）

編選說明 ● ● ●

康有為（1858—1927），廣東南海人，近代著名政治家、思想
家、社會改革家，中國近代維新派領袖。代表作主要有《孔子改制
考》《新學偽經考》《公車上書》等。

1895 年，康有為到北京參加會試，得知《馬關條約》簽訂，聯
合 1300 多名應試舉人，上萬言書，即「公車上書」。在上書中，康
有為從愛國的立場出發，強烈主張「拒和、遷都、變法」，建議皇帝
「下詔鼓天下之氣，遷都定天下之本，練兵強天下之勢，變法成天下
之治」。《公車上書》雖未上達光緒手中，但在社會上產生了廣泛的
影響。正因為如此，1898 年 6 月光緒帝任命康有為為總理衙門章
京，主持變法事宜，提出了一系列發展資本主義的政策和措施，史稱
戊戌變法。後因慈禧太后的干預，維新運動失敗。

鄒容

中國要救國不可不革命

　　掃除數千年種種專制政體，脫去數千年種種之奴隸性質，誅絕五百萬有披毛戴角之滿洲種，洗盡二百六十年殘酷之大恥辱，使中國大陸成乾淨土，黃帝子孫皆華盛頓，則有起死回生，還魂返魄，出十八層地獄，升三十三天堂，鬱鬱勃勃，莽莽蒼蒼，至尊極高，獨一無二，偉大絕倫之一目的，曰革命。巍巍哉！革命也！皇皇哉！革命也！

　　吾於是沿萬里長城，登崑崙，遊揚子江上下，溯黃河，豎獨立之旗，撞自由之鍾，呼天籲地破嗓裂喉，以鳴於我同胞前曰：嗚呼！我中國今日不可不革命，我中國今日欲脫滿洲人之羈縛，不可不革命；我中國欲獨立，不可不革命；我中國欲與世界列強並雄，不可不革命；我中國欲長存於 20 世紀新世界上，不可不革命；我中國欲為地球上名國，地球上主人翁，不可不革命。革命哉!革命哉!我同胞中老年、中年、壯年、少年、幼年、無量男女，其有言革命而實行革命者乎彝我同胞其欲相存、相養、相生活於革命也。吾今大聲疾呼，以宣佈革命之旨於天下。

　　革命或天演之公例也；革命者，世界之公理也；革命者，爭存爭亡過渡時代之要義也；革命者，順乎天而應乎人者也；革命者，去腐敗而存良善者也；革命者由野蠻而進文明者也；革命者，除奴隸而為

主人者也。……試放眼縱觀上下古今，宗教道德，政治學術，一視一締之微物，皆莫不數經革命之掏，過昨日，歷今日，以現象於此也。夫如是也，革命固如是平常者也。雖然，亦有非常者在焉。聞之一千六百八十八年英國之革命，一千七百七十五年美國之革命，一千八百七十年法國之革命，為世界應乎天而順乎人之革命，去腐敗而存良善之革命，由野蠻而進文明之革命，除奴隸而為主人之革命。犧牲個人以利天下，犧牲貴族以利平民，使人人享其平等自由之幸福。……吾是以於我祖國中，搜索五千餘年之歷史，指點二百餘萬方里之地圖，問人省己，欲求一革命之事，以比例乎英、法、美者。嗚呼！何不一遇也。吾亦嘗執此不一遇之故而熟思之，重思之，吾因之而有感矣，吾因之而有慨於歷代民賊獨夫之流毒也。

自秦始統一宇宙，悍然尊大，鞭笞宇內，私其國，奴其民，為專制政體，多授符瑞不經之說，愚弄首黔，矯誣天命，攬國人所有而獨有之，以保其子孫帝王萬世之業。不知明示天下以可欲可羨可歆之極，則天下之思篡取而奪之者愈眾。此自秦以來，所以狐鳴篝中，王在掌上，卯金伏誅，魏氏當塗，黠盜奸雄，覬覦神器者史不絕書。於是石勒、成吉思汗等類，以游牧腥羶之胡兒，亦得乘機竊命，君臨我禹域，臣妾我神種。嗚呼革命，殺人放火者出於是也，嗚呼革命，自由平等者亦出於是也。

……我祖國今日病矣，死矣，豈不欲食靈藥投寶方而生乎彝……嗟乎！嗟乎！革命！革命！得之則生，不得則死。毋退步，毋中立，毋徘徊，此其時也，此其時也。

噫！籲嘻！我中國其革命！我中國其革命！法人三次，美洲七

年，是故中國革命亦革命，不革命亦革命。吾願日日執鞭，以從我同胞革命，否祝我同胞革命。

「忍令上國衣冠，淪於夷狄；相率中原豪傑，還我河山。」我同胞其有是志也夫夐

自格致學日明，而天予神授為皇帝之邪說可滅。自世界文明日開，而專制政體一人奄有天下之制可倒。自人智日聰明，而人人皆得有天賦之權利可享。今日，今日，我皇漢人民，永脫滿洲之羈絆，盡復所失之權利，而介於地球強國之間，益欲全我天賦平等自由之位置，不得不革命而保我獨立之權。嗟予小子，無學頑陋，不足以言革命獨立之大義，兢兢業業模擬美國革命獨立之義，約為數事，再拜頓首，敬獻於我最敬最親愛之皇漢人種四萬萬同胞前，以備採行焉。

（節選自鄒容《革命軍》，出自蔣世弟《中國近代史參考資料》，高等教育出版社 1993 年版）

編選說明 ● ● ●

鄒容（1885—1905），四川重慶人，辛亥革命時期民主革命家，民主革命烈士。1902 年赴日本留學，投身民主革命。1903 年，以「革命軍中馬前卒」寫成《革命軍》一書，章太炎主辦的《蘇報》為之大力宣傳。《革命軍》開宗明義地提出，要用革命的手段推翻清朝的皇權，建立資產階級民主國家，並為這個國家定名「中華共和國」。這引起了清政府的極大仇視，1903 年 6 月 30 日，租界巡捕在

清政府授意下逮捕章太炎。鄒容聞訊，不願置身事外，於 7 月 1 日投案自首。在監獄裏，鄒、章二人受到非人待遇，他們常常以詩歌勵志。不幸的是，在離釋放僅 7 個月的 1905 年 4 月 3 日，鄒容因病在獄中逝世，年僅 20 歲。

《革命軍》為兩千多年的封建專制制度敲響了喪鐘，為資產階級民主革命吹響了號角，成為一篇名副其實的反帝、反封建的戰鬥檄文。文章詞意淺顯，文辭激烈，在下層社會民眾中廣為流傳，對於發動普通百姓從事反清鬥爭產生了積極作用，不少人正是受這本書的鼓舞，才走上了革命道路。

孫中山

國民「心理建設」刻不容緩

　　文奔走國事三十餘年，畢生學力盡萃於斯，精誠無間，百折不回，滿清之威力所不能屈，窮途之困苦所不能撓。吾志所向，一往無前，愈挫愈奮，再接再厲，用能鼓動風潮，造成時勢。卒賴全國人心之傾向，仁人志士之贊襄，乃得推覆專制，創建共和。本可從此繼進，實行革命黨所抱持之三民主義、五權憲法，與夫《革命方略》所規定之種種建設宏模，則必能乘時一躍而登中國於富強之域，躋斯民於安樂之天也。不圖革命初成，黨人即起異議，謂予所主張者理想太高，不適中國之用；眾口鑠金，一時風靡，同志之士亦悉惑焉。是以予為民國總統時之主張，反不若為革命領袖時之有效而見之施行矣。此革命之建設所以無成，而破壞之後國事更因之以日非也。夫去一滿洲之專制，轉生出無數強盜之專制，其為毒之烈，較前尤甚。於是而民愈不聊生矣！溯夫吾黨革命之初心，本以救國救種為志，欲出斯民於水火之中，而登之衽席之上也。今乃反令之陷水益深，蹈火益熱，與革命初衷大相違背者，此固予之德薄無以化格同儕，予之能鮮不足駕馭群眾，有以致之也。然而吾黨之士，於革命宗旨、革命方略亦難免有信仰不篤、奉行不力之咎也，而其所以然者，非盡關乎功成利達而移心，實多以思想錯誤而懈志也。

　　此思想之錯誤為何？即「知之非艱，行之惟艱」之說也。此說始

於傅說對武丁之言，由是數千年來深種於中國之人心，已成牢不可破矣。故予之建設計劃，一一皆為此說所打消也。嗚呼！此說者予生平之最大敵也，其威力當萬倍於滿清。夫滿清之威力，不過只能殺吾人之身耳，而不能奪吾人之志也。乃此敵之威力，則不惟能奪吾人之志，且足以迷億兆人之心也。是故當滿清之世，予之主張革命也，猶能日起有功，進行不已；惟自民國成立之日，則予之主張建設，反致半籌莫展，一敗塗地。吾三十年來精誠無間之心幾為之冰消瓦解，百折不回之志幾為之槁木死灰者，此也。可畏哉此敵！可恨哉此敵！兵法有云：「攻心為上。」是吾黨之建國計劃，即受此心中之打擊者也。

夫國者人之積也，人者心之器也，而國事者一人群心理之現象也。是故政治之隆污，繫乎人心之振靡。吾心信其可行，則移山填海之難，終有成功之日；吾心信其不可行，則反掌折枝之易，亦無收傚之期也。心之為用大矣哉！夫心也者，萬事之本源也。滿清之顛覆者，此心成之也；民國之建設者，此心敗之也。夫革命黨之心理，於成功之始，則被「知之非艱，行之惟艱」之說所奴，而視吾策為空言，遂放棄建設之責任。如是則以後之建設責任，非革命黨所得而專也。迨夫民國成立之後，則建設之責任當為國民所共負矣，然七年以來，猶未睹建設事業之進行，而國事則日形糾紛，人民則日增痛苦。午夜思維，不勝痛心疾首！夫民國之建設事業，實不容一刻視為緩圖者也。

國民！國民！究成何心？不能乎？不行乎？不知乎？吾知其非不能也，不行也；亦非不行也，不知也。倘能知之，則建設事業亦不過如反掌折枝耳。回顧當年，予所耳提面命而傳授於革命黨員，而被河

漢為理想空言者，至今觀之，適為世界潮流之需要，而亦當為民國建設之資材也。乃擬筆之於書，名曰《建國方略》，以為國民所取法焉。然尚有躊躇審顧者，則恐今日國人社會心理，猶是七年前之黨人社會心理也，依然有此「知之非艱，行之惟艱」之大敵橫梗於其中，則其以吾之計劃為理想空言而見拒也，亦若是而已矣。故先作學說，以破此心理之大敵，而出國人之思想於迷津，庶幾吾之建國方略，或不致再被國人視為理想空談也。夫如是，乃能萬眾一心，急起直追，以我五千年文明優秀之民族，應世界之潮流，而建設一政治最修明、人民最安樂之國家，為民所有、為民所治、為民所享者也。則其成功，必較革命之破壞事業為尤速、尤易也。時民國七年（即 1918 年）十二月三十日孫文自序於上海。

（節選自孫中山《建國方略》，出自《孫中山全集》第六卷，中華書局 1985 年版）

編選說明 ● ● ●

孫中山，原名孫文（1866—1925），近代民主革命家，中國國民黨創始人，三民主義的宣導者。首舉徹底反封建的旗幟，「起共和而終帝制」。1905 年成立中國同盟會。1911 年辛亥革命後被推舉為中華民國臨時大總統。1940 年，國民政府通令全國，尊稱其為「中華民國國父」。

《建國方略》從心理、物質、社會三個方面對中國建設作了全盤

的謀劃。在「心理建設」部分，孫中山提出：行易知難、能知必能行、不知亦能行、有志竟成等思想，在當時對革命起了一定作用。「物質建設」，孫中山為建設資產階級共和國，設計一個完整的藍圖。「社會建設」，敘述了政府管理和群眾在社會生活中應掌握的民主原則、程序和方法。《建國方略》是孫中山為中國國民黨制定的指導思想和基本原則，也是孫中山構建的資產階級共和國的藍圖，是他一生為之追求的理想目標。

此處所選文字，是《建國方略‧作者自序》部分，從中我們可以看到孫中山關於國民「心理建設」的思想脈絡。

吳虞

家族制度是專制主義之基礎

　　商君、李斯破壞封建之際，吾國本有由宗法社會轉成軍國社會之機，顧至於今日，歐洲脫離宗法社會已久，而吾國終顛頓於宗法社會之中而不能前進。推原其故，實家族制度為之梗也。

　　詳考孔子之學說，既認孝為百行之本，故其立教，莫不以孝為起點，所以「教」字從孝。凡人未仕在家，則以事親為孝；出仕在朝，則以事君為孝。能事親，事君，乃可謂之為能立身，然後可以揚名於世。由事父推之事君事長，皆能忠順，則既可揚名，又可保持祿位。居家能孝，則可由無祿位而為官。然孝敬忠順之事，皆利於尊貴長上，而不利於卑賤，雖獎之以名譽，誘之以祿位，而對於尊貴長上，終不免有極不平等之感。故舜以孝治天下，獲二女，而巢父、許由不屑為之；孔氏不廢君臣之義，而荷丈人則譏其「四體不勤，五穀不分」，視同遊民；此又尊貴長上之所深忌畏惡。而專制之學說有時而窮，於是要君非聖者，概目之為不孝，而嚴重其罪名，以壓抑束縛之曰：「五刑之屬三千，罪莫大於不孝。」自是以後，雖王陵、嵇紹之徒，且見褒於青史矣，「孝乎惟孝，是亦為政」，家與國無分彼此：「求忠臣必於孝子之門」，君與父無異也。推而廣之，則如《大戴記》所言：「居處不莊，非孝也；事君不忠，非孝也；涖官不敬，非孝也；朋友無信，非孝也；戰陣無勇，非孝也。」蓋孝之範圍，無所不

包，家族制度之與專制政治，遂膠固而不可以分析。而君主專制所以利用家族制度之故，則又以有子之言為最切實。有子曰：「孝悌也者，為人之本。其為人也孝悌而好犯上者，鮮；不好犯上而好作亂者，未之有也。」其於消弭犯上作亂之方法，惟恃孝悌以收其成功。故劉寶楠（《論語正義》）云：「作亂之人，由於好犯上；好犯上，由於不孝不弟，故古者教弟子，就外舍，學小藝焉，履小節焉；束髮就大學，學大藝焉，履大節焉；皆令知有孝悌之道。而父之齒隨行，兄之齒雁行，朋友不相逾，又令知有事長上處朋友之禮。故孝悌之人，鮮有犯上。若不好犯上而好作亂，知為必無之事，故曰，未之有也。曾子《立孝篇》云：『是故未有君而忠臣可知者，孝子之謂也；未有長而順下可知者，弟弟之謂也。故曰，孝子善事君，弟弟善事長。君子一孝一弟，可謂知終矣。』是言孝悌之人，必為忠臣順下，而不好犯上，不好作亂，可無疑矣。」儒家以孝悌二字為兩千年來專制政治與家族制度聯結之根幹，而不可動搖。故潘維城（《論語古注集箋》）云：「作亂者，《禮記》云：『事君：可貴，可賤，可富，可貧，可生，可殺，而不可使為亂。』鄭注，『亂，謂違廢事君之禮。』」有子此言，蓋兼乎《孝經·春秋》之義。孔子道在《孝經》，取天子、諸侯、卿、大夫、士、庶人最重之事，順其道而布之天下，封建以固，君臣以嚴，守其髮膚，保其祭祀，無奔亡弒奪之禍，即有子所云孝悌之人不犯上不作亂也。使人人不犯上作亂，則天下永治矣。惟不孝不弟，不能如《孝經》之順道而逆行之，是以子弒父，臣弒君，亡絕奔走，不保宗廟社稷。是以孔子作《春秋》，明王道，制叛亂，明褒貶。《春秋》論之於已事之後，《孝經》明之於未事之先，其間

相通之故，則有於此章實通徹本原之論。」其主張孝悌，專為君親長上而設。但求君親長上免奔亡弒奪之禍，而絕不問君親長上所以致奔亡弒奪之故，及保衛尊重臣子卑幼人格之權。夫為人父止於慈，為人子止於孝，似平等矣；然為人子而不孝，則五刑之屬三千，罪莫大於不孝，於父之不慈者，固無制裁也。君使臣以禮，臣事君以忠，似平等矣；然為人臣而不忠，則人臣無將，將而必誅；於君之無禮者，固無制裁也。是則儒家之主張，徒令宗法社會牽掣軍國社會，使不克完全發達，其流毒誠不減於洪水猛獸矣。

孟德斯鳩曰：「支那立法為政者之所圖，有正鵠焉：求其四封寧謐，民物相安而已。然其術無他，必嚴等衰，必設分位。故其教必辯於最早，而始於最近之家庭。是故支那孝之為義，不自事親而止；蓋資於事親，而百行作始。彼惟孝敬其所生，而一切有近於所生，如長年、主人、官長、君上者，將皆為孝敬之所存。自支那之禮教言，其相資若甚重者，則莫如謂孝悌為不犯上作亂之本是已。蓋其治天下也，所取法者，原無異於一家。向使取父母之權力勢分而微之，抑取所以致敬盡孝之繁文而節之，則其因之起於庭闈者，其果將形於君上。益君上固作民父母者也。夫孝之義不立，則忠之說無所附，家庭之專制既解，君主之壓力亦散，如造穹隆然，去其主石，則主體墮地。

（選自吳虞《家族制度為專制主義之根據論》，出自《新青年》1917 年第 2 卷第 6 號）

編選說明 ●●●

　　吳虞（1874—1939），字又陵，號黎明老人，四川華陽人。早年
留學日本，歸國後任四川《醒群報》主筆，鼓吹新學。1910 年任成
都府立中學國文教員，不久到北京大學任教，並在《新青年》上發表
《家族制度為專制主義之根據論》《說孝》等文，猛烈抨擊舊禮教和
儒家學說，在「五四」時期影響較大。胡適稱他為「中國思想界的清
道夫」「四川隻手打到孔家店的老英雄」。

李大釗

中共早期領導人的馬克思主義觀

　　馬氏社會主義的理論，可大別為三部：一為關於過去的理論，就是他的歷史論，也稱社會組織進化論；二為關於現在的理論，就是他的經濟論，也稱資本主義的經濟論；三為關於將來的理論，就是他的政策論，也稱社會主義運動論，就是社會民主主義。離了他的特有的史觀，去考他的社會主義，簡直的是不可能。因為他根據他的史觀，確定社會組織是由如何的根本原出變化而來的；然後根據這個確定的原理，以觀察現在的經濟狀態，就把資本主義的經濟組織，為分析的、解剖的研究，預言現在資本主義的組織不久必移入社會主義的組織，是必然的運命；然後更根據這個預見，斷定實現社會主義的手段、方法仍在最後的階級競爭。他這三部理論，都有不可分的關係，而階級競爭說恰如一條金線，把這三大原理從根本上聯絡起來。所以他的唯物史觀說：「既往的歷史都是階級競爭的歷史。」他的《資本論》也是首尾一貫的根據那「在今日社會組織下的資產階級與工人階級，被放在不得不仇視，不得不衝突的關係上」的思想立論。關於實際運動的手段，他也是主張除了訴於最後的階級競爭，沒有第二個再好的方法。為研究上便利起見，就他的學說各方面分別觀察，大概如此。其實他的學說是完全自成一個有機的有系統的組織，都有不能分離不容割裂的關係。

　　歷史的唯物論者觀察社會現象，以經濟現象為最重要，因為歷史上物質的要件中，變化發達最甚的，算是經濟現象。故經濟的要件是歷史上唯一的物質的要件。其它一切非經濟的物質的要件，如人種的要件，地理的要件，等等，本來變化很少，因之及於社會現象的影響也很小，但於他那最少的變化範圍內，多少也能與人類社會的行程以影響。在原始未開時代的社會，人類所用的勞作工具，極其粗笨，幾乎完全受制於自然。而在新發現的地方，向來沒有什麼意味的地理特徵，也成了非常重大的條件。所以歷史的唯物論者，於那些經濟以外的一切物質的條件，也認他於人類社會有意義，有影響。不過因為他的影響甚微，而且隨著人類的進化日益減退，結局只把它們看做經濟的要件的支流罷了。

　　經濟構造是社會的基礎構造，全社會的表面構造，都依著他遷移交化。但這經濟構造的本身，又按他每個進化的程級，為他那最高動因的連續體式所決定。這最高動因、依其性質，必須不斷的變遷，必然的與社會的經濟的進化以誘導。

　　這最高動因究為何物？

　　馬克思則以「物質的生產力」為最高動因：由家庭經濟變為資本家的經濟，由小產業制變為工廠組織制，就是由生產力的變動而決定的。

　　有許多事實可以證明這種觀察事物的方法是合理的。

　　馬克思的唯物史觀有二要點：其一是關於人類文化的經驗的說明；其二即社會組織進化論。其一是說人類社會生產關係的總和，構成社會經濟的構造。這是社會的基礎構造。一切社會上政治的、法制

的、倫理的、哲學的，簡單說，凡是精神上的構造，都是隨著經濟的構造變化而變化。我們可以稱這些精神的構造為表面構造。表面構造常視基礎構造為轉移，而基礎構造的變動，乃以其內部促它自己進化的最高動因，就是生產力，為主動；屬於人類意識的東西，絲毫不能加它以影響，它卻可以決定人類的精神，意識，主義，思想，使它們必須適應它的行程。其二是說生產力與社會組織密切的關係。生產力一有變動，社會組織必須隨著它變動。社會組織即社會關係，也是與布帛菽粟一樣，是人類依生產力產出的產物。手臼產出封建諸侯的社會，蒸汽制粉機產出產業的資本家的社會。生產力在那裏發展的社會組織，當初雖然助長生產力的發展，後來發展的力量到了社會組織不能適應的程度，那社會組織不但不能助它，反倒束縛它，妨礙它了。而這生產力雖在那束縛它、妨礙它的社會組織中，仍是向前發展不已。發展的力量愈大，與那不能適應它的社會組織間的衝突愈迫，結局這舊社會組織非至崩壞不可。這就是社會革命。新的繼起，將來到了不能與生產力相應的時候，它的崩壞亦復如是。可是這個生產力，非到在它所活動的社會組織裏發展到無可再容的程度，那社會組織是萬萬不能打破。而這在舊社會組織內，長成它那生存條件的新社會組織，非到自然脫離母胎，有了獨立生存的運命，也是萬萬不能發生。恰如孵卵的情形一樣，人為的助長，打破卵殼的行動，是萬萬無效的，是萬萬不可能的。

　　以上是馬克思獨特的唯物史觀。

（節選自李大釗《我的馬克思主義觀》，1919 年《新青年》第 6 卷第 5 號和第 6 號）

編選說明 ●●●

　　李大釗（1889—1927），偉大的馬克思主義者、傑出的無產階級革命家、中國共產黨的主要創始人之一和早期卓越的領導人。1917年俄國十月革命勝利後，李大釗同志備受鼓舞，連續發表《法俄革命之比較觀》《庶民的勝利》《布林什維主義的勝利》《新紀元》等文章和演講，熱情謳歌十月革命。1919年，五四運動爆發，這是中國近代歷史上第一次徹底地不妥協地反帝反封建的愛國運動。李大釗熱情投入並參與領導了五四運動。在這場運動之後，他更加致力於馬克思主義的宣傳，做了大量工作。他在《新青年》發表的《我的馬克思主義觀》，從唯物史觀、政治經濟學，科學社會主義三個方面系統介紹馬克思主義理論，在當時的思想界產生了重要影響。此處所選文字，重點介紹了馬克思主義的唯物史觀。

郭沫若

甲申三百年祭

　　李自成本不是剛愎自用的人，他對於明室的待遇也非常寬大。在未入北京前，諸王歸順者多受封。在入北京後，帝與後也得到禮殯，太子和永、定二王也並未遭殺戮。當他入宮時，看見長公主被崇禎砍得半死，悶倒在地，還曾歎息說道：「上太忍，令扶還本宮調理。」他很能納人善言，而且平常所採取的還是民主式的合議制。《北略》卷二十載：「內官降賊者自宮中出，皆云，李賊雖為首，然總有二十餘人，俱抗衡不相下，凡事皆眾共謀之。」這確是很重要的一項史料。據此我們可以知道，後來李自成的失敗，自成自己實在不能負專責，而牛金星和劉宗敏倒要負差不多全部的責任。

　　像吳三桂那樣標準的機會主義者，在初對於自成本有歸順之心，只是尚在躊躇觀望而已。這差不多是為一般的史家所公認的事。假使李岩的諫言被採納，先給其父子以高爵厚祿，而不是劉宗敏式的敲索綁票，三桂諒不至於「為紅顏」而「衝冠一怒」。即使對於吳三桂要不客氣，像劉宗敏那樣的一等大將應該親領人馬去鎮守山海關，以防三桂的叛變和清朝的侵襲，而把追贓的事讓給刑官去幹也盡可以勝任了。然而事實卻恰得其反。防山海關的只有幾千人，龐大的人馬都在京城裏享樂。起初派去和吳三桂接觸的是降將唐通，更不免有點類似兒戲。就這樣在京城裏忙了足足一個月，到吳三桂已經降清，並誘引

清兵入關之後，四月十九日才由自成親自出征，倉皇而去，倉皇而敗，倉皇而返。而在這期間留守京都的丞相牛金星是怎樣的生活呢？「大轎門棍，灑金扇上貼內閣字，玉帶藍袍圓領，往來拜客，遍請同鄉」，太平宰相的風度儼然矣。

　　自成以四月十九日親征，二十六日敗歸，二十九日離開北京，首途向西安進發。後面卻被吳三桂緊緊地追著，一敗於定州，再敗於真定，損兵折將，連自成自己也帶了箭傷。在這時河南州縣多被南京的武力收復了，而悲劇人物李岩，也到了他完成悲劇的時候。

　　「李岩者，故勸自成以不殺收人心者也。及陷京師，保護懿安皇后，令自盡。又獨於士大夫無所拷掠，金星等大忌之。定州之敗，河南州縣多反正。自成召諸將議，岩請率兵往。金星陰告自成曰：『岩雄武有大略，非能久下人者。河南，岩故鄉，假以大兵，必不可制。十八子之讖得非岩乎？』因譖其欲反。自成令金星與岩飲，殺之。賊眾俱解體。」《明史・李自成傳》《明亡述略》《明季北略》及《剿闖小史》都同樣敘述到這件事。唯後兩種言李岩與李牟兄弟二人同時被殺，而在二李被殺之後，還說到宋獻策和劉宗敏的反應。

　　「宋獻策素善李岩，遂往見劉宗敏，以辭激之。宗敏怒曰：彼（指牛）無一箭功，敢擅殺兩大將，須誅之。」由是自成將相離心，獻策他往，宗敏率眾赴河南。（《北略》卷二十三）

　　真正是呈現出了「解體」的形勢。李岩與李牟究竟是不是兄弟，史料上有些出入，在此不願涉及。獻策與宗敏，據《李自成傳》，後為清兵所擒，遭了殺戮。自成雖然回到了西安，但在第二年二月潼關失守，於是又恢復了從前「流寇」的姿態，竄入河南湖北，為清兵所

窮追，竟於九月犧牲於湖北通山之九宮山，死時年僅三十九歲。

這無論怎麼說都是一場大悲劇。李自成自然是一位悲劇的主人，而從李岩方面來看，悲劇的意義尤其深刻。假使初進北京時，自成聽了李岩的話，使士卒不要懈怠而敗了軍紀，對於吳三桂等及早採取了牢籠政策，清人斷不至於那樣快的便入了關。又假使李岩收復河南之議得到實現，以李岩的深得人心，必能獨當一面，把農民解放的戰鬥轉化而為種族之間的戰爭。假使形成了那樣的局勢，清兵在第二年決不敢輕易冒險去攻潼關，而在潼關失守之後也決不敢那樣勞師窮追，使自成陷於絕地。假使免掉了這些錯誤，在種族方面豈不也就可以免掉了二百六十年間為清朝所宰治的命運了嗎？就這樣，個人的悲劇擴大而成為種族的悲劇，這意義不能說是不夠深刻的。

大凡一位開國的雄略之主，在統治一固定了之後，便要屠戮功臣，這差不多是自漢以來每次改朝換代的公例。自成的大順朝即使成功了，他的代表農民利益的運動早遲也會變質，而他必然也會做到漢高祖、明太祖的藏弓烹狗的「德政」，可以說是斷無例外。然而對於李岩們的誅戮卻也未免太早了。假使李岩真有背叛的舉動，或擬投南明，或擬投清廷，那殺之也無可惜，但就是讒害他的牛金星也不過說他不願久居人下而已，實在是殺得沒有道理。但這責任與其讓李自成來負，毋寧是應該讓賣友的丞相牛金星來負。

　　　　（節選自郭沫若《甲申三百年祭》，人民出版社 2004 年版）

編選説明 ● ● ●

　　郭沫若（1892—1978），四川樂山人，中國現代著名的文學家、古文字學家、歷史學家和著名的革命家、社會活動家，是繼魯迅之後革命文化界公認的領袖。1944 年 3 月 19 日，是李自成領導農民起義 300 週年紀念日，為總結李自成領導的農民起義失敗的原因、經驗教訓，郭沫若撰寫《甲申三百年祭》，在重慶《新華日報》上發表。全文大致可分三個部分。第一部分説明明朝末年，政治腐敗，災荒嚴重，崇禎昏瞆，結果引起民變，弄出亡國之禍。第二部分敘述李自成起義隊伍由小到大，終至推翻明朝統治，佔領北京。第三部分説明李自成佔領北京之後，不聽李岩的主張，被勝利沖昏了頭腦，忽略敵人，不講政策，有些首領生活腐化，發生宗派鬥爭，最後終於失敗。文章發表後，立即受到了毛澤東和中共中央的重視，毛澤東多次指出要從李自成起義的歷史中吸取經驗教訓並批示將《甲申三百年祭》作為中共整風運動的學習材料之一。該文在延安和各解放區多次印成單行本，產生了很大的影響。

梁漱溟

中國社會的結構特點

　　整個社會性構造問題是一個根本問題，既深且遠。彷彿非危迫眉睫的中國所能談，本來一談社會構造問題便涉及理想，中國人如何有遐往理想上想呢？無奈問題已逼問到深處，欲避亦不得。中國歷史到今日要有一個大轉變，社會要有個大改造。正須以奔赴遠大理想來解決眼前問題。抑今日實到了人類歷史的一大轉變期，社會改造沒有那一國能逃避。外於世界問題而解決中國問題，外於根本問題而解決眼前問題，皆不可能。鄉村建設運動如果不在重建中國新社會構造上有其意義，即等於毫無意義。

　　假如我們說西洋近代社會為個人為本位的社會，階級對立的社會，那麼中國舊社會可以說為倫理本位、職業分立社會。

　　大家都知道西洋近代個人主義抬頭，自由主義盛行，他們何為而如此，這全從其集團生活中過強干涉的反動而來。西洋人始終過的是集團生活，不過從前的集團是宗教教會，現在的集團是民族國家。他們雖然始終是集團生活，在從前團體過強，個人分量太輕；到近代則個人在團體中的地位增高，分量加重，彷彿成了個人本位的社會。

　　中國則為倫理社會。倫理始於家庭而不止於家庭，倫理即倫偶之意，就是說人與人都在相關係中。人一生下來就有與他相關係的人，如父母兄弟等。人生將始終在與人相關係中而生活。既在相關係中而

生活，彼此就發生情誼，親切相關之情發乎天倫骨肉，乃至一切相關之人漠不自然有其情，因情而有義。故倫理關係彼此互以對方為重，一個人似不為自己而存在，仍彷彿互為他人而存在。這種社會可稱倫理本位社會。試從社會、經濟、政治三方面比較來看：

社會方面，於人生各種關係中，家乃其天然基本關係。家庭與宗族在中國人生上佔有極重要位置。乃至親戚、鄉黨亦為所重。習俗又以家庭骨肉之誼準推於其它，如師徒、東夥、鄰居，社會性上一切朋友、同儕，或比於父子關係，或比於兄弟之關係，情義益以重。

經濟方面，夫婦父子共財，乃至祖孫、兄弟等亦共財。若義莊、義田一切族產等亦為共財之一種。兄弟乃至宗族間有分財之義，親戚朋友間有通財之義，以倫理關係言之，自家兄弟以訖親戚朋友在經濟上皆彼此顧恤，互相負責。不然者，群指目以為不義。

政治方面，但有君臣間、官民間相互之倫理的義務，而不認識國家團體關係。又比國君為大宗子，稱地方官為父母官，舉國家政治而亦家庭情誼化之。以西洋近代之自由主義的憲法，在政治上又見出其個人本位與國家相對者。

我們可以看見中國社會，其經濟結構隱然有似一種共產。但此共產，其相與為共的視其倫理關係之親疏厚薄為準。愈親厚愈要共，以次遞減。同時亦要看這財產的大小。財產愈大，將愈為多數人所共，蓋不但親厚者共之，即對較遠的倫理關係，亦不能不負擔一些義務也。此其分際關係自有伸縮，全在情理二字上取決，但不決定於法律，因根本上沒有一超倫理的大團體力量為法律所自出。說到政治，不但整個的政治組織放在一個倫理關係中，抑且其設治目的亦全在維

持大家份理的相安，如何讓人人彼此倫理的關係各做到好處，是其政治上的理想要求，更無其它。

在西洋社會，中世紀是農奴與貴族兩階級對立。到了近代因著工商業與都市發達而解放，但又轉入資本家與勞工兩階級對立。所以西洋始終是階級對立的社會。然中國社會與此前後二者，一無所似。何為階級？俗常說到階級，不過是地位高下、貧富不等之意。那其實不算什麼階級，此處所指階級乃特有所指，不同俗解。在一社會中，其生產工具與生產工作，有分屬於兩部分人的形勢——一部分人據有生產工具乃委於另一部分人任之。此即所謂階級對立的社會。如西洋中世紀時土地都屬於貴族領主，至近代的工廠機器又屬於資本家，而任生產工作之勞動者，如農奴、工人均不得自有其生產工具，遂造成剝削與被剝削的兩面。從其為兩面的一個社會，則彼此為對立的。

中國社會則沒有構成這兩面。其所以沒有構成這兩面，即在生產工具沒有被一部分人所壟斷人的形勢。為什麼無此形勢？有三點可說：1.土地自由買賣，人人得而有之；2.遺產均分，而長子繼承之制；3.蒸汽機、電機未發明，乃較大機械亦無之。

（節選自梁漱溟《鄉村建設理論》，鄒平鄉村書店 1937 年版）

編選說明 ● ● ●

梁漱溟（1893—1988），中國現代著名的教育家、思想家、文化哲學創始人。在半個多世紀裏他發表了大量有影響的著作，主要有：

《東西文化及其哲學》《中國民族自救運動之最後覺悟》《鄉村建設理論》《中國文化要義》等。

　　《鄉村建設理論》一書由認識問題和解決問題兩大部分構成。在認識問題部分，梁漱溟從歷史學的角度，運用文化社會學的分析方法，來觀察、分析中國社會結構及文化傳統性質，以此作為鄉村建設理論的依據和鄉村教育思想的基礎；在解決問題部分，梁漱溟提出鄉村建設必須依靠教育手段，通過社會組織的重建和現代科學生產及生活知識的灌輸，來解決促進農村社會的復蘇與振興。該書以鄉村建設實踐為基礎，充分地總結和提煉了有關中國社會改造與鄉村教育的基本原則，揭示了中國鄉村社會與傳統文化的內在聯繫，為當時從事教育改革和社會改造的人們提供了認識與解決中國問題的新思想、新方法，對目前中國新農村建設也有借鑒作用。

薄一波

社會主義建設的經驗與教訓

　　關於這十年的經驗與教訓，我想從以下幾個方面作一些探討和再談一些自己的看法。

　　（一）關於階級鬥爭

　　這十年，黨中央、毛主席在處理階級鬥爭問題上，有一些主要的經驗，但更多的是教訓。概括起來，這些經驗與教訓，主要有三點。

　　第一，堅持把正確處理人民內部矛盾，作為黨和國家政治生活的主題。

　　第二，對中國社會矛盾、階級力量對比和階級鬥爭規律的估量，一定要從中國已經完成社會主義改造這個基本實際情況出發。

　　第三，切實按照「堅持真理，修正錯誤」的原則和「團結——批評與自我批評——團結」的公式，處理黨內不同意見的爭論，堅決同國際共運和我黨歷史上多次發生的「殘酷鬥爭，無情打擊」的「左」的錯誤方針劃清界限。

　　（二）關於經濟建設

　　1980 年初，我在全國黨校工作座談會上的講話中，關於中國經濟工作的歷史經驗教訓，曾經講過四條意見，這就是：在社會主義改造完成以後，就應該堅定不移地把全黨工作的重點放到經濟建設中來；經濟建設工作一定要以正確的思想路線做基礎，實事求是，一切

從實際出發，力求按客觀規律辦事；國民經濟的發展，必須在不平衡裏邊力求平衡，搞好計劃的綜合平衡工作；要正確處理中央集權與地方分權的問題。這四條經驗教訓，主要是就開始全面建設社會主義十年的情況講的，是十多年前的認識。這篇講話，已收入我的文選。重複的就不多講了。這裏講今天的認識。

第一，中國的社會主義建設，只能從中國的國情出發，在探索中前進。

第二，對國民經濟的發展，始終應該保持有效的宏觀調節。

第三，確認農業在國民經濟中的基礎地位，不能削弱，只能加強。

第四，經濟決策不可盲目跟著政治風向跑。

（三）關於生產關係和社會主義制度的變革

在這個方面的具體經驗和教訓，我在《農村人民公社化》《農村六十條》《工業七十條》和《試辦托拉斯》等幾篇中，已經講了。這裏著重根據農村人民公社化的失誤談三點意見。

第一，清醒地認識中國社會發展現在所處的歷史階段，是制定正確政策的前提。

第二，變革生產關係和社會制度，一定要從生產力發展的實際需要出發，而不能從這樣或那樣的主觀臆想出發。

第三，嚴格劃清平均主義與社會主義的界限，時刻謹防和自覺抵制平均主義的干擾和侵襲。

（四）關於黨的建設

這十年，在黨的建設方面，做了許多有益的工作，但也有嚴重的

失誤。這個方面的經驗與教訓，我想到有以下幾點：

第一，黨的各級領導人保持普通勞動者的面貌，黨員和群眾同甘共苦，是糾正錯誤、戰勝困難的重要一環。

第二，堅持解放思想、實事求是的思想認識路線，是健全黨和國家政治生活的重要一環。

第三，推進民主制度化、法律化，是實施民主集中制的有效途徑。

（選自薄一波《若干重大決策與事件的回顧》，中共中央黨史出版社
1993 年版）

編選説明 ●●●

薄一波（1908—2007），原名薄書存，山西定襄縣蔣村人。1925年入黨，曾在山西、天津等地從事兵運等工作，三次入獄。1946 年起，擔任軍隊領導工作。建國後，歷任華北局第一書記，軍區政委，財政部部長，國家建設委員會主任，國家經濟委員會主任、國務院副總理等職。1982 年 9 月和 1987 年 11 月，兩度被選為中共中央顧問委員會副主任。

1988 年 3 月，薄一波同志任中央黨史領導小組副組長。他積極宣導實事求是的工作作風，科學地總結黨的歷史經驗，弘揚黨的優良傳統，對黨史部門的工作提出了許多重要意見。為了把自己親身經歷的許多重要歷史和經驗記錄下來，經黨中央批准，他在耄耋之年又以

很大精力親自組織撰寫回憶與研究性的黨史著作。從中顧委副主任的崗位上退下來以後，他更是以主要精力潛心於這一工作。他的力作《若干重大決策與事件的回顧》《領袖元帥與戰友》等著作，得到了中央領導同志和學術界、理論界的高度評價。

費孝通

中國鄉土社會中的禮治

●●●

　　鄉土社會秩序的維持，有很多方面和現代社會秩序的維持是不相同的。可是所不同的並不是說鄉土社會是「無法無天」，或者說「無需規律」。的確有些人這樣想過。返樸回真的老子覺得只要把社區的範圍縮小，在雞犬相聞而不相往來的小國寡民的社會裏，社會秩序無需外力來維持，單憑每個人的本能或良知，就能相安無事了。這種想法也並不限於老子。就是在現代交通之下，全世界的經濟已密切相關到成為一體時，美國還有大多數人信奉著古典經濟學裏的自由競爭的理想，反對用人為的「計劃」和「統制」來維持經濟秩序，而認為在自由競爭下，冥冥之中，自有一雙看不見的手，會為人們理出一個合於道德的經濟秩序來的。不論在社會、政治、經濟各個範圍中，都有認為「無政府」是最理想的狀態，當然所謂「無政府」決不是等於「混亂」，而是一種「秩序」，一種不需規律的秩序，一種自動的秩序，是「無治而治」的社會。

　　可是鄉土社會並不是這種社會，我們可以說這是個「無法」的社會，假如我們把法律限於以國家權力所維持的規則，但是「無法」並不影響這社會的秩序，因為鄉土社會是「禮治」的社會。

　　禮是社會公認合式的行為規範。合於禮的就是說這些行為是做得對的，對是合式的意思。如果單從行為規範這一點說，本和法律無

異，法律也是一種行為規範。禮和法不相同的地方是維持規範的力量。法律是靠國家的權力來推行的。「國家」是指政治的權力，在現代國家沒有形成前，部落也是政治權力。而禮卻不需要這有形的權力機構來維持。維持禮這種規範的是傳統。

　　傳統是社會所累積的經驗。行為規範的目的是在配合人們的行為以完成社會的任務，社會的任務是在滿足社會中各分子的生活需要。人們要滿足需要必須相互合作，並且採取有效技術，向環境獲取資源。這套方法並不是由每個人自行設計，或臨時聚集了若干人加以規劃的。人們有學習的能力，上一代所實驗出來有效的結果，可以教給下一代。這樣一代一代的累積出一套幫助人們生活的方法。從每個人說，在他出生之前，已經有人替他準備下怎樣去應付人生道路上所可能發生的問題了。他只要「學而時習之」就可以享受滿足需要的愉快了。

　　禮並不是靠一個外在的權力來推行的，而是從教化中養成了個人的敬畏之感，使人服膺，人服禮是主動的。禮是可以為人所好的，所謂「富而好禮」。孔子很重視服禮的主動性，在下面一段話裏說得很清楚：

　　顏淵問仁。子曰：「克己復禮為仁。一日克己復禮，天下歸仁焉。為仁由己，而由人乎哉？」顏淵曰：「請問其目。」子曰：「非禮勿視，非禮勿聽，非禮勿言，非禮勿動。」顏淵曰：「回雖不敏，請事斯語矣。」

　　這顯然是和法律不同了，甚至不同於普通所謂道德。法律是從外限制人的，不守法所得到的罰是由特定的權力所加之於個人的。人可

以逃避法網，逃得脫還可以自己驕傲、得意。道德是社會輿論所維持的，做了不道德的事，見不得人，那是不好；受人唾棄，是恥。禮則有甚於道德：如果失禮，不但不好，而且不對、不合、不成。這是個人習慣所維持的。十目所視，十手所指的，即是在沒有人的地方也會不能自己。曾子易簀是一個很好的例子。禮是合式的路子，是經教化過程而成為主動性的服膺於傳統的習慣。

禮治的可能必須以傳統可以有效地應付生活問題為前提。鄉土社會滿足了這前提，因之它的秩序可以禮來維持。在一個變遷很快的社會，傳統的效力是無法保證的。儘管一種生活的方法在過去是怎樣有效，如果環境一改變，誰也不能再依著老法子去應付新的問題了。所應付的問題如果要由團體合作的時候，就得大家接受個同意的辦法，要保證大家在規定的辦法下合作應付共同問題，就得有個力量來控制各個人了。這其實就是法律。也就是所謂「法治」。

法治和禮治是發生在兩種不同的社會情態中。這裏所謂禮治也許就是普通所謂人治，但是禮治一詞不會像人治一詞那樣容易引起誤解，以致有人覺得社會秩序是可以由個人好惡來維持的了。禮治和這種個人好惡的統治相差很遠，因為禮是傳統，是整個社會歷史在維持這種秩序。禮治社會並不能在變遷很快的時代中出現的，這是鄉土社會的特色。

　　　　　　　（節選自費孝通《鄉土中國》，三聯書店 1985 年版）

編選說明 ●●●

　　費孝通（1910—2005），江蘇吳江人，中國著名社會學家、人類學家、民族學家、社會活動家，中國社會學和人類學的奠基人之一。主要研究方向為社會學理論與方法、城鄉社會學、民族社會學、社會人類學、文化人類學、民族學等。其人生，跨越了兩個世紀、三個「朝代」，一生行行重行行，實地調查和考察總結中國農村經濟發展的各種模式，寫下了諸多不朽篇章，《鄉土中國》為其代表作之一。

　　《鄉土中國》是一部社會學著作，但滲透著對歷史學、哲學、政治學等相關社會學科的深刻認識和精闢見解。它從微觀的視角中跳出來，進而從宏觀的角度審視整個社會，分析社會的整體架構，使用本土化的研究手法和研究眼光，在各個層面用不同學科的認知手段解析傳統的中國社會，深刻認識到中國社會與西方社會的本質不同，蘊現了深厚的文化內涵，道出了幾千年中國傳統社會的結構特質和倫理道德觀念。值得一讀。

費孝通

近代江南地區農民的經濟生活

　　農村中的基本社會群體就是家，一個擴大的家庭。這個群體的成員佔有共同的財產，有共同的收支預算，他們通過勞動的分工過著共同的生活。兒童們也是在這個群體中出生、養育並繼承了財物、知識及社會地位。村中更大的社會群體是由若干家根據多種不同目的和親屬、地域等關係組成的。

　　使得家的各個成員聯繫起來的基本紐帶便是親屬關係。但家並不把它自己只限制在這個群體之內。它擴展到一個較廣的範圍，並使親屬關係形成較大社會群體的聯繫原則。根據已接受的原則，五代以內同一祖宗的所有父系後代及其妻，屬於一個親屬關係集團稱為「族」。但實際上，這個譜系的嚴格計算並不重要。實際情況是這樣的：長期以來村的人口一直是變動不大。如族的成員人數不增加，就不分族。如果人數增加，對土地壓力增加，就必定移民到其它地方去。人離開了，就不再積極參與這個親屬群體。一代或幾代以後親屬聯繫就停止發生作用。

　　除了親屬關係的聯結，另外一個基本的社會紐帶就是地域性的紐帶。居住在鄰近的人們感到他們有共同利益並需要協同行動，因而組成各種地域性的群體。比如，水、旱等自然災害以及異國人侵略的威脅，不是影響單個的人而是影響住在這個地方的所有人。他們必須採

取協同行動來保護自己——如築堤、救濟措施、巫術及宗教等活動。此外，個人要很好地利用他的土地，需要別人的合作；同樣，運送產品、進行貿易、工業生產都需要合作。休息和娛樂的需要又是一個因素，把個人集聚在各種形式的遊戲和群體娛樂活動中。因此，人們住在一起，或相互為鄰這個事實，產生了對政治、經濟、宗教及娛樂等各種組織的需要。

　　土地的佔有通常被看做習慣上和法律上承認的土地所有權。但是，這種體系產生於土壤的用途，產生於與其關聯的經濟價值。因此，土地的佔有不僅是一種法律體系，也是一個經濟事實。根據當地對土地的佔有的理論，土地被劃分為兩層，即田面及田底。田底佔有者是持土地所有權的人。因為他支付土地稅，所以他的名字將由政府登記。但他可能僅佔有田底，不佔有田面，也就是說他無權直接使用土地，進行耕種。這種人被稱為不在地主。既佔有田面又佔有田底的人被稱為完全所有者。僅佔有田面，不佔有田底的人被稱為佃戶。

　　掙工資的階層並不是村裏傳統的結構。農業雇工非常少。勞動在非常有限的意義上進入商品領域。只有在家庭手工業衰落的情況下，婦女勞動力才在村裏形成了一個市場。一個女孩的傳統經濟地位是依附於她的父親或丈夫的。掙錢的人從一家的成員中分離出來，對親屬關係也產生了實質的變化。

　　中國農村的基本問題，簡單地說，就是農民的收入降低到不足以維持最低生活水準所需的程度。中國農民真正的問題是人民的飢餓問題。在這個村裏，當前經濟蕭條的直接原因是家庭手工業的衰弱。經濟蕭條並非由於產品的品質低劣或數量下降。蕭條的原因在於鄉村工

業和世界市場之間的關係問題。由於家庭手工業的衰弱，農民只能在改進產品或放棄手工業兩者之間選擇其一。改進產品不僅是一個技術改進的問題，而且也是一個社會再組織的問題。甚至於這些也還是不夠的。農村企業組織的成功與否，最終取決於中國工業發展的前景。

當他們的收入不斷下降，經濟沒有迅速恢復的希望時，農民當然只得緊縮開支。中國農民的開支有四類：日常需要的支出，定期禮儀費用，生產資金，以及利息、地租、捐稅等。農民的開支中最嚴峻的一種是最後一種。農民已經盡可能地將禮儀上的開支推遲，甚至必要時將儲備的糧食出售。如果人民不能支付不斷增加的利息、地租和捐稅，他不僅將遭受高利貸者和收租人、稅吏的威脅和虐待，而且還會受到監禁和法律制裁。

我們必須認識到，僅僅實行土地改革、減收地租、平均地權，並不能最終解決中國的土地問題。但這種改革是必要的，也是緊迫的，因為它是解除農民痛苦的不可缺少的步驟。它將給農民以喘息的機會，排除了引起「反派」的原因，才得以團結一切力量尋求工業發展的道路。最終解決中國土地問題的辦法不在於緊縮農民的開支而應該增加農民的收入。

（節選自費孝通《江村經濟——中國農民的生活》，商務印書館 2006年版）

編選說明 ●●●

　　費孝通早年留學英國,師從人類學泰斗馬林諾夫斯基。他的博士論文《江村經濟—中國農民的生活》以及後來的《鄉土中國》《生育制度》使他贏得了國際聲譽,曾獲國際應用人類學會馬林諾夫斯基名譽獎和英國皇家人類學會赫胥黎獎章。其所著的《江村經濟—中國農民的生活》被公認為是中國社會人類學實地調查研究的一個里程碑。

　　《江村經濟—中國農民的生活》旨在說明農村經濟體系與特定地理環境以及與這個社區的社會結構的關係。此書根據太湖東南岸開弦弓村的實地考察材料,以中國人傳統的生活為背景,以土地的利用和農戶家庭中再生產的過程為主線,深刻細緻地記錄了中國農村傳統文化和社區結構在西方影響下的變遷,是瞭解中國同類型的農村或者部分相類似的農村非常好的「導遊」。

胡繩

中國共產黨的創建

　　1921 年 7 月 23 日，中國共產黨第一次全國代表大會在上海法租界望志路樹德里 3 號舉行。由於會場受到暗探注意和外國巡捕搜查，最後一天的會議改在浙江嘉興南湖的遊艇上舉行。參加黨的一大的有來自七個地方的 53 名黨員的 12 名代表，他們是：李達、李漢俊（上海），張國燾、劉仁靜（北京），毛澤東、何叔衡（長沙），董必武、陳潭秋（武漢）、王盡美、鄧恩銘（濟南），陳公博（廣州），周佛海（旅日）。包惠僧受當時在廣州的陳獨秀派遣，也參加了會議。列席會議的有共產國際代表馬林和尼科爾斯基。

　　大會確定黨的名稱為「中國共產黨」。黨的綱領是「以無產階級革命軍隊推翻資產階級」，「採用無產階級專政，以達到階級鬥爭的目的——消滅階級」，「廢除資本私有制」，以及聯闔第三國際。這表明，中國共產黨從建黨一開始就旗幟鮮明地把社會主義和共產主義規定為自己的奮鬥目標。

　　大會通過的黨的第一次決議規定黨在當前的「基本任務是成立產業工會」，「黨應在工會裏灌輸階級鬥爭的精神」，要派黨員到工會去工作。中國共產黨作為工人階級的先鋒隊，在成立時就不是單單注意馬克思主義的宣傳，並且十分注意同本階級建立密切的聯繫。這是它的一個重大優點。

　　大會選舉產生了由陳獨秀等 3 人組成的黨的領導機構──中央局，陳獨秀為書記，李達、張國燾分管組織和宣傳工作。

　　黨的第一次全國代表大會宣告了中國共產黨的正式成立。

　　中國共產黨的產生，是中國革命運動發展的必然結果。差不多在同一個時間或稍後一點的時間，同黨的上海發起組沒有聯繫的一批先進分子也在獨立地醞釀建黨。

　　1920 年 7 月，一批留法的勤工儉學生在蒙達尼公學集會。蔡和森在會上「主張激烈的革命，組織共產黨，實行無產階級專政，即仿傚俄國十月革命的方法」。他還同李維漢等商量過「準備成立一個共產黨」的問題。「後來因為忙於參加和領導求學運動的鬥爭，未能實現。」1921 年夏，利群書社成員在湖北黃岡開會，表示「贊成組織新式的黨──布爾什維克式的黨，並提議把要組織的團體叫做『波社』（波爾什維克）」。當得知中國共產黨成立的消息後，惲代英「立即號召加入，結束利群書社」。1923 年冬，吳玉章、楊闇公等二十餘人在四川秘密組織了中國青年共產黨，並發行機關報《赤心評論》。以後，中國青年共產黨也自動取消，要它的成員個別地申請加入中國共產黨。這些事實說明，建立工人階級政黨來領導中國人民的鬥爭，已經成為中國最覺悟的革命者的共同要求，是客觀形勢發展的產物。中國共產黨在 20 世紀 20 年代初成立，決不是偶然的。

　　中國共產黨是馬克思主義的革命政黨，是中國工人階級的先鋒隊。它是在特定的社會歷史條件下產生的。一方面，它成立於俄國十月社會主義革命取得勝利、第二國際社會民主主義思潮在第一次世界大戰期間遭到破產之後。它所接受的馬克思主義是完整的科學世界觀

和社會革命論，是在帝國主義和無產階級革命時代發展了的馬克思主義即列寧主義，是在鬥爭中同資產階級、小資產階級社會主義流派劃清了界限的科學社會主義。另一方面，它是在半殖民地半封建中國的工人運動的基礎上產生的。近代中國的社會矛盾特別尖銳。中國工人階級雖然還比較年輕，許多工人從前還是小生產者，但是它身受外國帝國主義者和本國資產階級、封建勢力的殘酷壓迫和剝削，革命要求極其強烈；在這個階級中，不存在歐洲那種工人貴族階層，缺乏改良主義的深厚的經濟基礎；中國也沒有經過歐洲那樣的資本主義「和平」發展時期，中國工人階級根本不可能進行和平的議會鬥爭，很少可能對資產階級民主制度產生幻想。所以，黨沒有受到第二國際的影響。從一開始，它就是一個以馬克思列寧主義為理論基礎的黨，是一個新型的工人階級革命政黨。

中國共產黨作為最先進的階級——工人階級的政黨，不僅代表著中國工人階級的利益，而且代表著中國廣大人民和整個中華民族的利益；由於它掌握著馬克思主義這個銳利的思想武器，能夠為中國人民指明鬥爭的目標和走向勝利的道路，這就是為什麼它能夠逐步地而又牢固地在中國的大地上紮下根來，使自己發展成為一支不可戰勝的力量的原因。

中國共產黨的成立，給災難深重的中國人民帶來了光明和希望。它像光芒四射的燈塔，指明了中國人民的鬥爭道路。中國革命要取得勝利，首先需要有一個工人階級的革命政黨。自從有了中國共產黨，中國革命的面目就為之一新。

（節選自胡繩《中國共產黨的七十年》，中共黨史出版社1991年版）

編選說明 ●●●

　　胡繩（1918—2000），中國著名歷史學家，曾任中共中央黨史研究室主任、中國歷史學會會長，中共黨史研究會第二屆會長等職。

　　《中國共產黨的七十年》是中共中央黨史研究室根據中共中央黨史工作領導小組的決定，為紀念黨成立七十週年而撰寫的，是 20 世紀 90 年代黨史研究的最重要成果。全書共有「中國共產黨的創立」「在大革命的洪流中」「掀起土地革命的風暴」「抗日戰爭的中流砥柱」「奪取民主革命的全國性勝利」「中華人民共和國的成立和向社會主義過渡的實現」「社會主義建設在探索中曲折發展」「『文化大革命』的十年內亂」「開創社會主義現代化建設的新局面」等九章內容。在「中國共產黨的創立」一章中，作者對中國共產黨創建的必然性、黨的性質及偉大意義作了精確的論述。

孫隆基

中國文化的「超穩定體系」

　　將我們的「深層結構」稱作「文化潛意識」，亦無不可，不過，它卻不是一個被壓抑掉的心理層次。的確，我們的「深層結構」概念並不是指個人發展史或民族性形成史上的一個屬於「史前史」的心理岩層。它是指即使用權在日常生活這個「當代史」中也可以看到的文化行為。

　　我們設定：每一個文化都有它獨特的一組文化行為，它們總是以一種只有該文化特有的脈絡相互關聯著──這個脈絡關係就是這組文化行為的「結構」。這個「結構」可以在該文化中人士日常生活的表現裏看到，也可以在同一群人的政治行為中找到，同時，它亦呈現在該文化的歷史過程裏浮現的規律性中。

　　「深層結構」是指一個文化不曾變動的層次，它是相對「表層結構」而言的。在一個文化的表面層次上，自然是有變動的，而且變動往往是常態。「表層結構」與「深層結構」的關係，只有舉一兩個實例，才能說明。

　　例如，西方文化的「深層結構」具有動態的「目的」意向性，亦即是一股趨向無限的權力意志，因此，任何「變動」都導致不斷超越與不斷進步。這股趨向無限的權力意志即表現在「個人」是一個不斷開展過程的設計中，也表現在征服海洋、征服太空這類不承認空間有

局限的意向中；此外，西方文化也在人類史上首次地將「不斷成長」的意向帶入了經濟活動中，以及將「不斷改造」的意向注入了社會活動中——在這個意義上，西方的資本主義與社會主義都是反映了「深層結構」中的這般意嚮之「表層結構」的現象。

因此，以上這些不斷開展、不斷超越、不斷進步的現象只是肯定了「深層結構」中的那個不變的意向，那就是：「不斷追求變動，而變動又總是導向超越與進步。」如果西方文化的發展方向總是背離這項原則，那麼，它的「深層結構」就開始被「非結構化」。

至於中國文化的「深層結構」，則具有靜態的「目的」意向性。中國人的「良知系統」在個人身上造成的意向是「安身」與「安心」，在整個社會文化結構中則導向「天下大治」「天下太平」，而其政治之意向亦為「鎮止民心，使少知寡欲而不亂」。換而言之，就是維持整個結構的穩定與不變。因此，在「表層結構」中盡可以出現變動，但是，任何「變動」總不能導致超越與進步。的確，在中國歷史上，每一次「動」都只可能是一次「亂」——事實上，中國人總是「動」與「亂」連稱，成為「動亂」，而每一次「動亂」都是使「深層結構」的變化越來越少。

中國歷代的農民戰爭其實都是「動亂」，因此並不能用西方階級鬥爭史的模式去硬套。事實上，迴圈不息的農民戰爭是使中國的社會越來越平均的因素。這種越來越「太平」的傾向使社會朝著更為支離破碎、一盤散沙的方向發展。於是，社會就越來越需要國家去組織它，而壓在社會頭上的國家也就變得越來越專制。

可以集中表現在一個人身上——例如，出身卑賤的明太祖朱元

璋，在奪得了天下後，將江南的大戶幾乎一口氣殺光。因為他的這種行動，國內的史學家，總是傾向於視朱元璋為「農民的代表」。然而，朱元璋不也同時是專制帝王嗎彝

　　的確，在中國歷史上，平均主義與專制主義是互相提攜、雙軌並進的。在中唐以前，還有世族地主，而中國的專制主義亦未趨完善。到了宋代，世族地主基本上消失，中國社會變成國粹派學究津津樂道的「平民社會」，國家舉辦的科舉取士變成了唯一晉身之階，而專制主義的中央集權化也朝前發展了一大步。

　　到了明清時代，中國式的專制主義可以說是達到了傳統水準的完善狀態。而到了帝制晚期，社會上亦基本呈現如孫中山所說的「只有大貧小貧之分」。但是，孫中山提議的救中國的方案，卻仍然是「平均地權」以及「節制資本」，亦即是由國家去發展資本主義。

　　因此，在中國歷史上，每一次「動」都不是一次「進步」，而是一場「亂」。每一次「動」似乎在「表層結構」上促成了變動，但是，在「深層結構」的意義上，卻是結構穩定的重新回歸，而且，因為平均主義與專制主義傾向，使「深層結構」的形態更為趨於穩定，趨於不變。

　　既然中國歷史上任何「表層結構」意義的變動都是使「深層結構」越來越沒有變化的因素，因此，由中國整個歷史發展過程呈現出來的「深層結構」遂表現為一個「超穩定體系」的形態。

（節選自孫隆基《中國文化的深層結構》，廣西師範大學出版社2004年版）

編選說明 ●●●

　　孫隆基，祖籍浙江，1945 年生於重慶，在香港長大，在臺灣受大學教育，獲臺灣大學歷史學碩士學位。後赴美深造，於明尼蘇達大學專攻俄國史，獲碩士學位，轉赴斯坦福大學專攻東亞史，其間在上海復旦大學進修一年，獲博士學位，曾在美國、加拿大等多所大學任教。現為美國孟菲斯大學歷史系教授。

　　他的研究興趣是多方面的，重要著作有《中國文化的深層結構》《歷史家的經線》《未斷奶的民族》等。《中國文化的深層結構》是孫隆基先生的代表作，該書從文字學、文化學、歷史學切入，對中國文化提供了一種理性的批判性分析。他的見解未必就是定論，但卻帶給我們深深的震撼。本處所選文字，從長時段和歷史學角度，剖析了中國文化的「超穩定性」，對我們正確理解中國文化有一定的啟示和意義。

擴展閱讀 ●●●

1. 史景遷：《追尋現代中國：1600－1912 年的中國歷史》，上海遠東出版社 2005 年版

2. 張樂天：《告別理想：人民公社制度研究》，上海人民出版社 2005 年版

3. 陳旭麓：《近代中國的新陳代謝》，上海人民出版社 1992 年版

4. 費正清：《偉大的中國革命》，世界知識出版社 2000 年版

5. 吉伯特·羅茲曼編：《中國的現代化》，江蘇人民出版社 2003 年版

6. 張海鵬：《中國近代通史》，江蘇人民出版社 2006 年版

7. 魏斐德：《洪業——清朝開國史》，江蘇人民出版社 1998 年版

8. 柯文：《歷史三調：作為事件、經歷和神話的義和團》，江蘇人民出版社 2000 年版

9. 周錫瑞：《改良與革命》，中華書局 1982 年版

10. 茅海建：《天朝的崩潰——鴉片戰爭再研究》，三聯書店 1995 年版

11. 湯志鈞：《戊戌變法史論》，群聯出版社 1955 年版

12. 吳承明：《帝國主義在舊中國的投資》，人民出版社 1955 年版

13. 章開沅等主編：《辛亥革命史》，三冊，人民出版社 1980 年版

14. 戚其章：《甲午戰爭史》，人民出版社 1990 年版

15. 夏東元：《洋務運動史》，華東師範大學出版社 1992 年版

16. 侯宜傑：《二十世紀初中國政治改革風潮——清末立憲運動史》，人民出版社 1993 年版

17. 石泉：《甲午戰爭前後之晚清政局》，三聯書店 1997 年版

18. 郭世祐：《晚清政治革命新論》，湖南人民出版社 1997 年版

19. 王立新：《美國傳教士與晚清中國現代化》，天津人民出版社 1997 年版

20. 劉志琴主編：《近代中國社會文化變遷錄》，浙江人民出版社 1998 年版

21. 熊月之：《西學東漸與晚清社會》，上海人民出版社 1994 年版

22. 陳志讓：《軍紳政權》，三聯書店 1980 年版

23.魏斐德：《上海員警（1927──1937）》，上海古籍出版社 2004 年版

24.小科布林：《上海資本家與國民政府》，中國社會科學出版社 1988 年版

25.楊天石：《蔣氏秘檔與蔣介石真相》，社會科學文獻出版社 2002 年版

26.胡素珊：《中國的內戰──1945──1949 年的中國》，中國青年出版社 1997 年版

27.張憲文編：《中華民國史綱》，河南人民出版社 1985 年版

28.徐茅：《中華民國政治制度史》，上海人民出版社 1992 年版

29.魏宏運主編：《民國紀事本末》，遼寧人民出版社 1999 年版

30.石源華：《中華民國外交史》，上海人民出版社 1994 年版

31.羅志田：《權勢轉移：近代中國的思想、社會與學術》，湖北人民出版社 1999 年版

32.虞寶棠編著：《國民政府與民國經濟》，華東師範大學出版社 1998 年版

33.鄒讜：《美國在中國的失敗》，上海人民出版社 1997 年版

34.楊奎松：《中間地帶的革命──中國革命的策略在國際背景下的演變》，中央黨校出版社 1991 年版

35.石川禎浩：《中國共產黨成立史》，中國社會科學出版社 2006 年版

36.張國燾：《我的回憶》，東方出版社 2004 年版

37.李德：《中國紀事》，東方出版社 2004 年版

38.弗拉基米洛夫：《延安日記》，東方出版社 2004 年版

39.鄭大華：《民國思想史論》，社會科學文獻出版社 2006 年版

［附錄 ●●● 中國古代思想家論修身治家］

老子

道德經

　　《老子》第八章：上善若水。水善利萬物而不爭，處眾人之所惡，故幾於道。居善地，心善淵，與善仁，言善信，政善治，事善能，動善時。夫唯不爭，故無尤。

　　《老子》第四十六章：天下有道，卻走馬以糞；天下無道，戎馬生於郊。禍莫大於不知足，咎莫大於欲得。故知足之足，常足矣。

　　《老子》第四十九章：聖人無常心，以百姓之心為心。善者，吾善之；不善者，吾亦善之──德善。信者，吾信之；不信者，吾亦信之──德信。聖人在天下，歙歙焉為天下渾其心。百姓皆注其耳目，聖人皆孩之。

　　《老子》第五十八章：其政悶悶，其民淳淳；其政察察，其民缺缺。禍兮，福之所倚；福兮，禍之所伏。孰知其極？其無正也。正復為奇，善復為妖。人之迷，其日固久。是以聖人方而不割，廉而不

劌，直而不肆，光而不耀。

《老子》第六十六章：江海所以能為百穀王者，以其善下之，故能為百穀王。是以聖人欲上民，以其言下之；欲先民，以其身後之。是以處上而民不重，處前而民不害。是以天下樂推而不厭。以其不爭，故天下莫能與之爭。

《老子》第七十二章：民不畏威，則大威至矣。無狎其所居，無厭其所生。夫唯不厭，是以不厭。是以聖人自知不自見，自愛不自貴。故去彼取此。

《老子》第七十五章：民之饑，以其上食稅之多，是以饑。民之難治，以其上之有為，是以難治。民之輕死，以其上求生之厚，是以輕死。夫唯無以生為者，是賢於貴生。

（節選自老子《道德經》）

編選説明 ● ● ●

老子，又稱老聃、李耳，字伯陽，楚國苦縣曲仁裏（今河南鹿邑縣太清宮鎮）人。中國古代偉大的哲學家和思想家、道家學派創始人。被唐朝帝王追認為始祖，唐高宗親臨鹿邑拜謁，封老子為「太上玄元皇帝」，唐皇武后封為太上老君，苦縣因為老子被皇帝先後更名為真源縣、衛真縣、鹿邑縣，並在鹿邑留下許多與老子相關的珍貴文物。老子乃世界文化名人，世界百位歷史名人之一，存世有《道德經》（又稱《老子》），其作品的精華是樸素的辯證法，主張無為而

治，其學說對中國哲學發展具有深刻影響。在道教中老子被尊為道祖。老子的《道德經》一書，僅五千餘言，但文約義豐，博大精深，涵蓋天地，歷來被人們稱為「哲理詩」。它不僅深刻地影響著一代又一代的中國人，也深刻地影響著世界人民。隨著科學技術的不斷發展，《道德經》一書越來越引起世界人民的廣泛關注。自韓非的《解老》《喻老》至今，據說僅國內的《道德經》譯注本就不下千種，在全世界範圍內流傳。

墨翟

● ● ●

兼相愛　交相利

　　子墨子言曰：「仁人之所以為事者，必興天下之利，除去天下之害，以此為事者也。」然則天下之利何也？天下之害何也？子墨子言曰：「今若國之與國之相班，家之與家之相篡，人之與人之相賊，君臣不惠忠，父子不慈孝，兄弟不和調，此由天下之害也。」

　　既以非之，何以易之？子墨子言曰：「以兼相愛交相利之法易之。」然則兼相愛交相利之法將奈何哉？子墨子言：「視人之國若視其國，視人之家若視其家，視人之身若視其身。是故諸侯相愛則不野戰，家主相愛則不相篡，人與人相愛則不相賊；君臣相愛則惠忠，父子相愛則慈孝，兄弟相愛則和調。天下之人皆相愛，強不執弱，眾不劫寡，富不侮貧，貴不傲賤，詐不欺愚，凡天下禍篡怨恨可使毋起者，以相愛生也，是以仁者譽之。」

　　然而今天下之士君子曰：「然，乃若兼則善矣。雖然，天下之難物於故也。」子墨子言曰：「天下之士君子，特不識其利，辯其害故也。昔者晉文公好士之惡衣，故文公之臣皆牂羊之裘，韋以帶劍，練帛之冠，入以見於君，出以踐於朝。是其故何也？君說之，故臣為之也。昔者楚靈王好士細要，故靈王之臣皆以一飯為節，脅息然後帶，扶牆然後起，比期年，朝有黧黑之色，是其故何也？君說之，故臣能之也。昔越王句踐好士之勇，教馴其臣，私令人焚舟失火，試其士

曰：『越國之寶盡在此！』越王親自鼓其士而進之。士聞鼓音，破萃亂行，蹈火而死者左右百人有餘。越王擊金而退之。」

　　是故子墨子言曰：「乃若夫少食惡衣，殺身而為名，此天下百姓之所皆難也，若苟君說之，則眾能為之，況兼相愛，交相利，與此異矣。夫愛人者，人亦從而愛之；利人者，人亦從而利之；惡人者，人亦從而惡之；害人者，人亦從而害之。此何難之有焉，特上不以為政而士不以為行故也。今天下之君子，忠實欲天下之富而惡其貧，欲天下之治而惡其亂，當兼相愛，交相利。此聖王之法，天下之治道也，不可不務為也。」

（節選自《墨子・兼愛》）

編選說明 ● ● ●

　　《墨子》是闡述墨家思想的著作，原有 71 篇，現存 53 篇，一般認為是墨子的弟子及後學記錄、整理、編纂而成。《兼愛》有上、中、下三篇，均論述「天下兼相愛則治」的道理。這裏選錄其上篇。作者從聖人治天下說起，認為聖人治天下「不可不察亂之所自起」，而後指出亂起「不相愛」，接著用君臣、父子、兄弟之間的利己與虧人為例予以證明；再以盜賊愛其身、不愛人身，大夫各愛其家、不愛異家，諸侯各愛其國、不愛異國的事實加強論證；又以假設繼續推理得出結論—「若使天下兼相愛，國與國不相攻，家與家不相亂，盜賊亡有，君臣父子皆能孝慈，若此則天下治。」最後強調「故天下兼相

愛則治，交相惡則亂」「不可以不勸愛人」，墨子的「兼愛」，主張愛無差等，即給一切人同樣的愛。這是小生產者的道德要求和幻想，在當時「強劫弱，眾暴寡」的歷史條件下，是不可能實現的。

孟軻

● ● ●

窮則獨善其身　達則兼濟天下

孟子謂宋句踐曰：「子好遊乎？吾語子游：人知之，亦囂囂；人不知，亦囂囂。」

曰：「何如斯可以囂囂矣？」

曰：「尊德樂義，則可以囂囂矣。故士窮不失義，達不離道。窮不失義，故士得己焉；達不離道，故民不失望焉。古之人，得志，澤加於民；不得志，修身見於世。窮則獨善其身，達則兼善天下。」

（節選自《孟子・盡心上》）

編選說明 ● ● ●

窮達都是身外事，只有道義才是根本。

所以能窮不失義，達不離道。

至於「窮則獨善其身，達則兼善天下」，則與孔子所說「用之則行，舍之則藏」一樣，進可以攻，退可以守，成為兩千多年來中國士人立身處世的座右銘，成為最強有力的心理武器，既對他人，也對這個世界，更對自身。

當你窮困不得志時，它以「獨善其身」的清高撫慰著你那一顆失

落的心；

當你飛黃騰達有時機時，它又以「兼善天下」的豪情為你心安理
得地做官提供著堅實的心理基礎。

因此，無論你窮與達，它都是一劑絕對見效的心理良藥，是為人
處世戰無不勝的思想武器與法寶。

孟軻

魚我所欲也

　　魚，我所欲也；熊掌，亦我所欲也。二者不可得兼，舍魚而取熊掌者也。生，亦我所欲也；義，亦我所欲也。二者不可得兼，舍生而取義者也。生亦我所欲，所欲有甚於生者，故不為苟得也；死亦我所惡，所惡有甚於死者，故患有所不避也。如使人之所欲莫甚於生，則凡可以得生者何不用也？使人之所惡莫甚於死者，則凡可以避患者何不為也？由是則生而有不用也，由是則可以避患而有不為也。是故所欲有甚於生者，所惡有甚於死者。非獨賢者有是心也，人皆有之，賢者能勿喪耳。

　　一簞食，一豆羹，得之則生，弗得則死。呼爾而與之，行道之人弗受。蹴爾而與之，乞人不屑也。

　　萬鍾則不辯禮義而受之，萬鍾於我何加焉！為宮室之美，妻妾之奉，所識窮乏者得我歟？鄉為身死而不受，今為宮室之美為之；鄉為身死而不受，今為妻妾之奉為之；鄉為身死而不受，今為所識窮乏者得我而為之：是亦不可以已乎？此之謂失其本心。

（節選自《孟子·告子上》）

編選説明 ●●●

　　孟子（前 372—前 289），戰國時期魯國人，漢族。名軻，字子輿，又字子車、子居。孟子遠祖是魯國貴族孟孫氏，後家道衰微，從魯國遷居鄒國。孟子三歲喪父，孟母艱辛地將他撫養成人，孟母管束甚嚴，其「孟母三遷」「孟母斷織」等故事，成為千古美談，是後世母教之典範。是中國古代偉大的思想家，教育家，政治家。戰國時期儒家代表人物之一。著有《孟子》一書，屬語錄體散文集。《孟子》一書是孟子的言論彙編，由孟子及其弟子共同編寫而成，記錄了孟子的語言、政治觀點（仁政、兼愛、非攻，主張和平，反對戰爭）和政治行動是儒家經典著作。

　　本篇選自《孟子·告子上》。生死榮辱、貧富貴賤是人生重大的問題；趨生避死、求榮免辱、嫌貧愛富、尚貴卑賤，恐怕也是多數人的心態，但是清貧樂道有愛心的人也是有的。如果能夠得其所欲、免其所惡、有益於己、無害於人，誰都知道該怎麼選擇。而現實生活是複雜多變的，在具體的選擇面前人們常常再三考慮、再三猶豫仍然難以取捨，原因在於並沒有一個絕對的標準讓人們來衡量生與死的價值，榮與辱的分量，貧與富的差距，貴與賤的分別。《魚我所欲也》為我們做了很好的取捨，道理很簡明，簡單易懂，就是一定要作好選擇作對選擇。

荀況

學無止境

　　君子曰：學不可以已。青，取之於藍，而青於藍；冰，水為之，而寒於水。木直中繩，輮以為輪，其曲中規，雖有槁暴，不復挺者，輮使之然也。故木受繩則直，金就礪則利，君子博學而日參省乎己，則知明而行無過矣。

　　故不登高山，不知天之高也；不臨深溪，不知地之厚也；不聞先王之遺言，不知學問之大也。幹越，夷貉之子，生而同聲，長而異俗，教使之然也。詩曰：「嗟爾君子，無恆安息。靖共爾位，好是正直。神之聽之，介爾景福。」神莫大於化道，福莫長於無禍。

　　吾嘗終日而思矣，不如須臾之所學也；吾嘗跂而望矣，不如登高之博見也。登高而招，臂非加長也，而見者遠；順風而呼，聲非加疾也，而聞者彰。假輿馬者，非利足也，而致千里；假舟楫者，非能水也，而絕江河。君子生非異也，善假於物也。

　　南方有鳥焉，名曰蒙鳩，以羽為巢，而編之以髮，係之葦苕，風至苕折，卵破子死。巢非不完也，所繫者然也。西方有木焉，名曰射干，莖長四寸，生於高山之上，而臨百仞之淵。木莖非能長也，所立者然也。蓬生麻中，不扶而直。蘭槐之根是為芷。其漸之滫，君子不近，庶人不服。其質非不美也，所漸者然也。故君子居必擇鄉，遊必就士，所以防邪僻而近中正也。

　　物類之起，必有所始。榮辱之來，必象其德。肉腐出蟲，魚枯生蠹。怠慢忘身，禍災乃作。強自取柱，柔自取束。邪穢在身，怨之所構。施薪若一，火就燥也；平地若一，水就濕也。草木疇生，禽獸群焉，物各從其類也。是故質的張，而弓矢至焉；林木茂，而斧斤至焉；樹成蔭，而眾鳥息焉，醯酸而蚋聚焉。故言有招禍也，行有招辱也，君子慎其所立乎！

　　積土成山，風雨興焉；積水成淵，蛟龍生焉；積善成德，而神明自得，聖心備焉。故不積蹞步，無以至千里；不積小流，無以成江海。騏驥一躍，不能十步；駑馬十駕，功在不捨。鍥而舍之，朽木不折；鍥而不捨，金石可鏤。螾無爪牙之利，筋骨之強，上食埃土，下飲黃泉，用心一也。蟹六跪而二螯，非蛇鱔之穴無可寄託者，用心躁也。是故無冥冥之志者，無昭昭之明；無惛惛之事者，無赫赫之功。行衢道者不至，事兩君者不容。目不能兩視而明，耳不能兩聽而聰。螣蛇無足而飛，鼫鼠五技而窮。詩曰：「尸鳩在桑，其子七兮。淑人君子，其儀一兮。其儀一兮，心如結兮。」故君子結於一也。

　　昔者瓠巴鼓瑟，而流魚出聽，伯牙鼓琴，而六馬仰秣。故聲無小而不聞，行無隱而不形，玉在山而草木潤，淵生珠而崖不枯。為善不積邪，安有不聞者乎？

　　學惡乎始？惡乎終？曰：其數則始乎誦經，終乎讀《禮》；其義則始乎為士，終乎為聖人。真積力久則入，學至乎沒而後止也。故學數有終，若其義則不可須臾舍也。為之，人也；舍之，禽獸也。故《書》者，政事之紀也；《詩》者，中聲之所止也；《禮》者，法之大分，類之綱紀也，故學至乎《禮》而止矣。夫是之謂道德之極。《禮》

之敬文也，《樂》之中和也，《詩》《書》之博也，《春秋》之微也，在天地之間者畢矣。

　　君子之學也，入乎耳，箸乎心，布乎四體，形乎動靜。端而言，蝡而動，一可以為法則。小人之學也，入乎耳，出乎口，口耳之間，則四寸耳，曷足以美七尺之軀哉！古之學者為己，今之學者為人。君子之學也，以美其身；小人之學也，以為禽犢。故不問而告謂之傲，問一而告二謂之。傲，非也；，非也；君子如向矣。

　　學莫便乎近其人。《禮》《樂》法而不說，《詩》《書》故而不切，《春秋》約而不速。方其人之習君子之說，則尊以遍矣，周於世矣。故曰：學莫便乎近其人。

　　學之經莫速乎好其人，隆禮次之。上不能好其人，下不能隆禮，安特將學雜識志，順《詩》《書》而已耳，則末世窮年，不免為陋儒而已。將原先王，本仁義，則禮正其經緯蹊徑也。若挈裘領，詘五指而頓之，順者不可勝數也。不道禮憲，以《詩》《書》為之，譬之猶以指測河也，以戈舂黍也，以錐餐壺也，不可以得之矣。故隆禮，雖未明，法士也；不隆禮，雖察辯，散儒也。

　　問楛者，勿告也；告楛者，勿問也；說楛者，勿聽也；有爭氣者，勿與辯也。故必由其道至，然後接之，非其道則避之。故禮恭，而後可與言道之方；辭順，而後可與言道之理，色從而後可與言道之致。故未可與言而言，謂之傲，可與言而不言，謂之隱，不觀氣色而言，謂之瞽。故君子不傲，不隱，不瞽，謹順其身。《詩》曰：「匪交匪舒，天子所予。」此之謂也。

　　百發失一，不足謂善射；千里蹞步不至，不足謂善御；倫類不

通，仁義不一，不足謂善學。學也者，固學一之也。一出焉，一入焉，塗巷之人也；其善者少，不善者多，桀紂盜跖也；全之盡之，然後學者也。

君子知夫不全不粹之不足以為美也，故誦數以貫之，思索以通之，為其人以處之，除其害者以持養之，使目非是無欲見也，使耳非是無欲聞也，使口非是無欲言也，使心非是無欲慮也。及至其致好之也，目好之五色，耳好之五聲，口好之五味，心利之有天下。是故權利不能傾也，群眾不能移也，天下不能蕩也。生乎由是，死乎由是，夫是之謂德操。德操然後能定，能定然後能應。能定能應，夫是之謂成人。天見其明，地見其光，君子貴其全也。

（節選自《荀子・勸學篇》）

編選說明 ● ● ●

荀卿名況，趙國人，生於戰國末期的亂世，後人尊稱為荀子。在儒家典籍中，《荀子》一書一般認為是荀子自撰，並且是研究荀子思想的基本材料。在習慣上，許多學者喜歡稱荀子為「先秦時期最後的儒家」。他處在戰國末期的亂世，在這個空前動盪的社會中，同樣關注如何變革社會，關心如何實現社會統一，怎樣為統一的國家確定一套統治制度和思想價值觀念，由此，在總結和批判以往思想家的成果上的基礎上，荀子提出了一整套個人的思想主張。《勸學篇》說明了學習與自身修養的關係。

荀況

修身養性

　　見善，修然必以自存也；見不善，愀然必以自省也。善在身，介然必以自好也；不善在身，菑然必以自惡也。故非我而當者，吾師也；是我而當者，吾友也；諂諛我者，吾賊也。故君子隆師而親友，以致惡其賊。好善無厭，受諫而能誡，雖欲無進，得乎哉！小人反是，致亂而惡人之非己也，致不肖而欲人之賢己也；心如虎狼，行如禽獸，而又惡人之賊己也。諂諛者親，諫爭者疏，修正為笑，至忠為賊，雖欲無滅亡，得乎哉！《詩》曰：「噏噏呰呰，亦孔之哀。謀之其臧，則具是違；謀之不臧，則具是依。」此之謂也。

　　扁善之度，以治氣養生則後彭祖，以修身自名則配堯、禹。宜於時通，利以處窮，禮信是也。凡用血氣、志意、知慮，由禮則治通，不由禮則勃亂提僈；食飲，衣服、居處、動靜，由禮則和節，不由禮則觸陷生疾；容貌、態度、進退、趨行，由禮則雅，不由禮則夷固僻違，庸眾而野。故人無禮則不生，事無禮則不成，國家無禮則不寧。《詩》曰：「禮儀卒度，笑語卒獲。」此之謂也。

　　以善先人者謂之教，以善和人者謂之順；以不善先人者謂之諂，以不善和人者謂之諛。是是非非謂之知，非是是非謂之愚。傷良曰讒，害良曰賊。是謂是，非謂非曰直。竊貨曰盜，匿行曰詐，易言曰誕。趣舍無定，謂之無常；保利棄義，謂之至賊。多聞曰博，少聞曰

淺。多見曰淺，少見曰陋。難進曰偍，易忘曰漏。少而理曰治，多而亂曰秏。

治氣養心之術：血氣剛強，則柔之以調和；知慮漸深，則一之以易良；勇膽猛戾，則輔之以道順；齊給便利，則節之以動止；狹隘褊小，則廓之以廣大；卑濕重遲貪利，則抗之以高志；庸眾駑散，則劫之以師友；怠慢僄棄，則炤之以禍災；愚款端愨，則合之以禮樂，通之以思索。凡治氣養心之術，莫徑由禮，莫要得師，莫神一好。夫是之謂治氣養心之術也。

志意修則驕富貴，道義重則輕王公，內省而外物輕矣。傳曰：「君子役物，小人役於物」，此之謂矣。身勞而心安，為之；利少而義多，為之；事亂君而通，不如事窮君而順焉。故良農不為水旱不耕，良賈不為折閱不市，士君子不為貧窮怠乎道。

體恭敬而心忠信，術禮義而情愛人，橫行天下，雖困四夷，人莫不貴。勞苦之事則爭先，饒樂之事則能讓，端愨誠信，拘守而詳，橫行天下，雖困四夷，人莫不任。體倨固而心埶詐，術順墨而精雜污，橫行天下，雖達四方，人莫不賤。勞苦之事則偷儒轉脫，饒樂之事則佞兌而不曲，闢違而不愨，程役而不錄，橫行天下，雖達四方，人莫不棄。行而供冀，非漬淖也；行而俯項，非擊戾也；偶視而先俯，非恐懼也。然夫士欲獨修其身，不以得罪於比俗之人也。

夫驥一日而千里，駑馬十駕則亦及之矣。將以窮無窮，逐無極與？其折骨絕筋，終身不可以相及也。將有所止之，則千里雖遠，亦或遲或速、或先或後，胡為乎其不可以相及也？不識步道者，將以窮無窮，逐無極與？意亦有所止之與？夫「堅白」「同異」「有厚無厚」

之察，非不察也，然而君子不辯，止之也。倚魁之行，非不難也，然而君子不行，止之也。故學曰遲，彼止而待我，我行而就之，則亦或遲或速、或先或後，胡為乎其不可以同至也？故跬步而不休，跛鱉千里；累土而不輟，丘山崇成。厭其源，開其瀆，江河可竭；一進一退，一左一右，六驥不致。彼人之才性之相縣也，豈若跛鱉之與六驥足哉！然而跛鱉致之，六驥不致，是無他故焉，或為之，或不為爾！

道雖邇，不行不至；事雖小，不為不成。其為人也多暇日者，其出入不遠矣。好法而行，士也；篤志而體，君子也；齊明而不竭，聖人也。人無法，則倀倀然；有法而無志其義，則渠渠然；依乎法而又深其類，然後溫溫然。

禮者，所以正身也；師者，所以正禮也。無禮何以正身？無師，吾安知禮之為是也？禮然而然，則是情安禮也；師雲而雲，則是知若師也。情安禮，知若師，則是聖人也。故非禮，是無法也；非師，是無師也。不是師法而好自用，譬之是猶以盲辨色，以聾辨聲也，舍亂妄無為也。故學也者，禮法也。夫師、以身為正儀，而貴自安者也。《詩》云：「不識不知，順帝之則。」此之謂也。

端愨順弟，則可謂善少者矣；加好學遜敏焉，則有鈞無上，可以為君子者矣。偷儒憚事，無廉恥而嗜乎飲食，則可謂惡少者矣；加愓悍而不順，險賊而不弟焉，則可謂不詳少者矣，雖陷刑戮可也。老老而壯者歸焉，不窮窮而通者積焉，行乎冥冥而施乎無報，而賢不肖一焉。人有此三行，雖有大過，天其不遂乎？

君子之求利也略，其遠害也早，其避辱也懼，其行道理也勇。君子貧窮而志廣，富貴而體恭，安燕而血氣不惰，勞倦而容貌不枯，怒

不過奪，喜不過予。君子貧窮而志廣，隆仁也；富貴而體恭，殺勢也；安燕而血氣不惰，柬理也；勞倦而容貌不枯，好交也；怒不過奪，喜不過予，是法勝私也。《書》曰：「無有作好，遵王之道。無有作惡，遵王之路。」此言君子之能以公義勝私欲也。

（節選自《荀子·修身篇》）

編選說明 ●●●

《修身篇》宣導見善思齊，所謂「見善，修然必以自存也；見不善，愀然必以自省也。善在身，介然必以自好也」。體現了儒家知識分子的為人處世之道。

荀況

為官修養

　　人臣之論：有態臣者，有篡臣者，有功臣者，有聖臣者。內不足使一民，外不足使距難，百姓不親，諸侯不信，然而巧敏佞說，善取寵乎上，是態臣者也。上不忠乎君，下善取譽乎民，不恤公道通義，朋黨比周，以環主圖私為務，是篡臣者也。內足使以一民，外足使以距難，民親之，士信之，上忠乎君，下愛百姓而不倦，是功臣者也。上則能尊君，下則能愛民，政令教化，刑下如影，應卒遇變，齊給如響，推類接譽，以待無方，曲成制象，是聖臣者也。故用聖臣者王，用功臣者強，用篡臣者危，用態臣者亡。態臣用則必死，篡臣用則必危，功臣用則必榮，聖臣用則必尊。故齊之蘇秦，楚之州侯，秦之張儀，可謂態臣者也。韓之張去疾，趙之奉陽，齊之孟嘗，可謂篡臣也。齊之管仲，晉之咎犯，楚之孫叔敖，可謂功臣矣。殷之伊尹，周之太公，可謂聖臣矣。是人臣之論也，吉凶賢不肖之極也，必謹志之而慎自為擇取焉，足以稽矣。

　　從命而利君謂之順，從命而不利君謂之諂；逆命而利君謂之忠，逆命而不利君謂之篡；不恤君之榮辱，不恤國之臧否，偷合苟容，以持祿養交而已耳，謂之國賊。君有過謀過事，將危國家、殞社稷之懼也，大臣父兄有能進言於君，用則可，不用則去，謂之諫；有能進言於君，用則可，不用則死，謂之爭；有能比知同力，率群臣百吏而相

與強君撟君，君雖不安，不能不聽，遂以解國之大患，除國之大害，成於尊君安國，謂之輔；有能抗君之命，竊君之重，反君之事，以安國之危，除君之辱，功伐足以成國之大利，謂之拂。故諫、爭、輔、拂之人，社稷之臣也，國君之寶也，明君之所尊厚也，而闇主惑君以為己賊也。故明君之所賞，暗君之所罰也；暗君之所賞，明君之所殺也。伊尹、箕子可謂諫矣；比干、子胥，可謂爭矣；平原君之於趙，可謂輔矣，信陵君之於魏，可謂拂矣。傳曰：「從道不從君。」此之謂也。

故正義之臣設，則朝廷不頗；諫、爭、輔、拂之人信，則君過不遠；爪牙之士施，則仇讎不作；邊境之臣處，則疆垂不喪，故明主好同而闇主好獨。明主尚賢使能而饗其盛，闇主妒賢畏能而滅其功。罰其忠，賞其賊，夫是之謂至暗，桀、紂所以滅也。

事聖君者，有聽從，無諫爭；事中君者，有諫爭，無諂諛；事暴君者，有補削，無撟拂。迫脅於亂時，窮居於暴國，而無所避之，則崇其美，揚其善，違其惡，隱其敗，言其所長，不稱其所短，以為成俗。詩曰：「國有大命，不可以告人，妨其躬身。」此之謂也。

恭敬而遜，聽從而敏，不敢有以私決擇也，不敢有以私取與也，以順上為志，是事聖君之義也。忠信而不諛，諫爭而不諂，撟然剛折，端志而無傾側之心，是案曰是，非案曰非，是事中君之義也。調而不流，柔而不屈，寬容而不亂，曉然以至道而無不調和也，而能化易，時關內之，是事暴君之義也。若馭樸馬，若養赤子，若食餒人。故因其懼也，而改其過，因其憂也，而辨其故，因其喜也，而入其道；因其怒也，而除其怨；曲得所謂焉。書曰：「從命而不拂，微諫

而不倦，為上則明，為下則遜。」此之謂也。

　　事人而不順者，不疾者也；疾而不順者，不敬者也；敬而不順者，不忠者也；忠而不順者，無功者也；有功而不順者，無德者也。故無德之為道也，傷疾、墮功、滅苦，故君子不為也。

　　有大忠者，有次忠者，有下忠者，有國賊者。以德復君而化之，大忠也；以德調君而補之，次忠也；以是諫非而怒之，下忠也；不恤君之榮辱，不恤國之臧否，偷合苟容，以持祿養交而已耳，國賊也。若周公之於成王也，可謂大忠矣；若管仲之於桓公，可謂次忠矣；若子胥之於夫差，可謂下忠矣；若曹觸龍之於紂者，可謂國賊矣。

　　仁者必敬人。凡人非賢則案不肖也。人賢而不敬，則是禽獸也；人不肖而不敬，則是狎虎也。禽獸則亂，狎虎則危，災及其身矣。《詩》曰：「不敢暴虎，不敢馮河。人知其一，莫知其它。戰戰兢兢，如臨深淵，如履薄冰。」此之謂也。故仁者必敬人。敬人有道：賢者則貴而敬之，不肖者則畏而敬之；賢者則親而敬之，不肖者則疏而敬之。其敬一也，其情二也。若夫忠信端愨而不害傷，則無接而不然，是仁人之質也。忠信以為質，端愨以為統，禮義以為文，倫類以為理，喘而言，臑而動，而一可以為法則。《詩》曰：「不僭不賊，鮮不為則。」此之謂也。

　　恭敬、禮也；調和，樂也；謹慎，利也；鬥怒，害也。故君子安禮樂，利謹慎而無鬥怒，是以百舉而不過也。小人反是。

　　通忠之順，權險之平，禍亂之從聲，三者，非明主莫之能知也。爭然後善，戾然後功，生死無私，致忠而公，夫是之謂通忠之順，信陵君似之矣。奪然後義，殺然後仁，上下易位然後貞，功參天地，澤

被生民，夫是之謂權險之平，湯、武是也。過而通情，和而無經，不恤是非，不論曲宜，偷合苟容，迷亂狂生，夫是之謂禍亂之從聲，飛廉、惡來是也。傳曰：「斬而齊，枉而順，不同而一。」《詩》曰：「受小球大球，為下國綴旒。」此之謂也。

（節選自《荀子‧臣道篇》）

編選說明 ●●●

　　本篇選自《荀子‧臣道篇》，主要論述為臣之道。所謂「人臣之論：有態臣者，有篡臣者，有功臣者，有聖臣者」。之所以有類差，就是因為為官的修養不同，而造成的結果也就不盡相同。

呂不韋

立信樹威

　　位尊者其教受，威立者其奸止，此畜人之道也。故以萬乘令乎千乘易，以千乘令乎一家易，以一家令乎一人易。嘗識及此，雖堯、舜不能。諸侯不欲臣於人，而不得已，其勢不便，則奚以易臣？權輕重，審大小，多建封，所以便其勢也。王也者，勢也；王也者，勢無敵也。勢有敵則王者廢矣。有知小之愈於大、少之賢於多者，則知無敵矣。知無敵，則似類嫌疑之道遠矣。故先王之法，立天子不使諸侯疑焉，立諸侯不使大夫疑焉，立適子不使庶孽疑焉。疑生爭，爭生亂。是故諸侯失位則天下亂，大夫無等則朝廷亂，妻妾不分則家室亂，適孽無別則宗族亂。慎子曰：「今一兔走，百人逐之。非一兔足為百人分也，由未定。由未定，堯且屈力，而況眾人乎？積兔滿市，行者不顧。非不欲兔也，分已定矣。分已定，人雖鄙不爭。」故治天下及國，在乎定分而已矣。

（節選自《呂氏春秋·慎勢》）

編選說明 ●●●

　　《呂氏春秋》是秦相呂不韋召集門下食客 3000 人所著。以易

學、陰陽、五行、干支文化思想為總綱，融合眾家所長，形成包括政
治、經濟、哲學、道德、軍事、農業各方面的理論體系。《呂氏春秋》
對諸子百家兼收並蓄，因而保存了各家的思想資料，成為先秦思想的
資料彙編。本篇選自《呂氏春秋‧慎勢》，立論立信樹威的重要性。
其觀點：地位尊貴者，教化就能被接受；威嚴樹立了，姦邪就能止
息。

韓非
觀察行為的方法

　　古之人目短於自見，故以鏡觀面；智短於自知，故以道正己。鏡無見疵之罪，道無明過之惡。目失鏡，則無以正鬚眉；身失道，則無以知迷惑。西門豹之性急，故佩韋以自緩；董安于之心緩，故佩弦以自急。故以有餘補不足，以長續短之謂明主。

　　天下有信數三：一曰智有所不能立，二曰力有所不能舉，三曰強有所不能勝。故雖有堯之智而無眾人之助，大功不立；有烏獲之勁而不得人助，不能自舉；有賁、育之強而無法術，不得長生。故勢有不可得，事有不可成。故烏獲輕千鈞也而重其身，非其身重於千鈞也，勢不便也。離朱易百步而難眉睫，非百步近而眉睫遠也，道不可也。故明主不竊烏獲以其不能自舉，不因離朱以其不能自見。因可勢，求易道，故用力寡而功名立。時有滿虛，事有利害，物有生死，人主為三者發喜怒之色，則金石之士離心焉。聖賢之樸深矣。故明主觀人不使人觀己。明於堯不能獨成，烏獲寰宇不能自舉，賁、育之不能自勝，以法術則觀行之道畢矣。

（節選自《韓非子‧觀行》）

編選説明 ● ● ●

　　《韓非子》的作者是戰國末期韓國人韓非。韓非（前 280─前 233），先秦晚期思想家，法家思想的集大成者，被譽為先秦最後一個思想家，他的思想對秦漢以後的中國政治思想產生了極其深遠的影響，是中國古代最具影響力的著名思想家之一。本篇出自《韓非子・觀行》，為人君提供了觀察人臣的一種方法，作者指出，運用法術「則觀行之道畢矣」，並認為能以法術觀人臣之行者為「明主」。

司馬遷

報任安書

太史公牛馬走司馬遷再拜言。

少卿足下：曩者辱賜書，教以慎於接物，推賢進士為務，意氣勤勤懇懇，若望僕不相師，而用流俗人之言。僕非敢如此也。雖罷駑，亦嘗側聞長者遺風矣。顧自以為身殘處穢，動而見尤，欲益反損，是以抑鬱而無誰語。諺曰：「誰為為之？孰令聽之？」蓋鍾子期死，伯牙終身不復鼓琴。何則？士為知己者用，女為悅己者容。若僕大質已虧缺，雖材懷隨和，行若由夷，終不可以為榮，適足以發笑而自點耳。

書辭宜答，會東從上來，又迫賤事，相見日淺，卒卒無須臾之間得竭指意。今少卿抱不測之罪，涉旬月，迫季冬，僕又薄從上雍，恐卒然不可諱。是僕終已不得舒憤懣以曉左右，則長逝者魂魄私恨無窮。請略陳固陋。闕然久不報，幸勿為過。

僕聞之，修身者智之府也，愛施者仁之端也，取予者義之符也，恥辱者勇之決也，立名者行之極也。士有此五者，然後可以託於世，列於君子之林矣。故禍莫憯於欲利，悲莫痛於傷心，行莫醜於辱先，而詬莫大於宮刑。刑餘之人，無所比數，非一世也，所從來遠矣。昔衛靈公與雍渠載，孔子適陳；商鞅因景監見，趙良寒心；同子參乘，爰絲變色：自古而恥之。夫中材之人，事關於宦豎，莫不傷氣，況忼

慨之士乎！如今朝雖乏人，奈何令刀鋸之餘薦天下豪雋哉！僕賴先人
緒業，得待罪輦轂下，二十餘年矣。所以自惟：上之，不能納忠效
信，有奇策材力之譽，自結明主；次之，又不能拾遺補闕，招賢進
能，顯巖穴之士；外之，不能備行伍，攻城野戰，有斬將搴旗之功；
下之，不能累日積勞，取尊官厚祿，以為宗族交遊光寵。四者無一
遂，苟合取容，無所短長之效，可見於此矣。鄉者，僕亦嘗廁下大夫
之列，陪外廷末議。不以此時引維綱，盡思慮，今已虧形為掃除之
隸，在闒茸之中，乃欲昂首信眉，論列是非，不亦輕朝廷，羞當世之
士邪！嗟乎！嗟乎！如僕，尚何言哉！尚何言哉！

　　且事本末未易明也。僕少負不羈之才，長無鄉曲之譽，主上幸以
先人之故，使得奉薄伎，出入周衛之中。僕以為戴盆何以望天，故絕
賓客之知，忘室家之業，日夜思竭其不肖之材力，務壹心營職，以求
親媚於主上。而事乃有大謬不然者。夫僕與李陵俱居門下，素非相善
也，趣舍異路，未嘗銜杯酒接殷勤之歡。然僕觀其為人自奇士，事親
孝，與士信，臨財廉，取予義，分別有讓，恭儉下人，常思奮不顧身
以徇國家之急。其素所畜積也，僕以為有國士之風。夫人臣出萬死不
顧一生之計，赴公家之難，斯已奇矣。今舉事壹不當，而全軀保妻子
之臣隨而媒孽其短，僕誠私心痛之。且李陵提步卒不滿五千，深踐戎
馬之地，足歷王庭，垂餌虎口，橫挑強胡，昂億萬之師，與單于連戰
十餘日，所殺過當。虜救死扶傷不給，旃裘之君長咸震怖，乃悉徵左
右賢王，舉引弓之民，一國共攻而圍之。轉鬥千里，矢盡道窮，救兵
不至，士卒死傷如積。然李陵一呼勞軍，士無不起，躬流涕，沫血飲
泣，張空弮，冒白刃，北首爭死敵。陵未沒時，使有來報，漢公卿王

侯皆奉觴上壽。後數日，陵敗書聞，主上為之食不甘味，聽朝不怡。
大臣憂懼，不知所出。僕竊不自料其卑賤，見主上慘淒怛悼，誠欲效
其款款之愚，以為李陵素與士大夫絕甘分少，能得人之死力，雖古名
將不過也。身雖陷敗彼，彼觀其意，且欲得其當而報漢。事已無可奈
何，其所摧敗，功亦足以暴於天下。僕懷欲陳之，而未有路。適會召
問，即以此指推言陵功，欲以廣主上之意，塞睚眥之辭。未能盡明，
明主不深曉，以為僕沮貳師，而為李陵遊說，遂下於理。拳拳之忠，
終不能自列。因為誣上，卒從吏議。家貧，財賂不足以自贖，交遊莫
救，左右親近不為壹言。身非木石，獨與法吏為伍，深幽囹圄之中，
誰可告愬者！此正少卿所親見，僕行事豈不然邪？李陵既生降，隤其
家聲，而僕又茸之蠶室，重為天下觀笑。悲夫！悲夫！

　　事未易一二為俗人言也。僕之先非有剖符丹書之功，文史星曆，
近乎卜祝之間，固主上所戲弄，倡優畜之，流俗之所輕也。假令僕伏
法受誅，若九牛亡一毛，與螻蟻何以異？而世又不與能死節者比，特
以為智窮罪極，不能自免，卒就死耳。何也？素所自樹立使然也。人
固有一死，或重於泰山，或輕於鴻毛，用之所趨異也。太上不辱先，
其次不辱身，其次不辱理色，其次不辱辭令，其次詘體受辱，其次易
服受辱，其次關木索、被箠楚受辱，其次剔毛髮、嬰金鐵受辱，其次
毀肌膚、斷肢體受辱，最下腐刑極矣！傳曰「刑不上大夫」。此言士
節不可不勉勵也。猛虎在深山，百獸震恐，及在檻阱之中，搖尾而求
食，積威約之漸也。故士有畫地為牢，勢不可入；削木為吏，議不可
對，定計於鮮也。今交手足，受木索，暴肌膚，受榜箠，幽於圜牆之
中，當此之時，見獄吏則頭搶地，視徒隸則心惕息。何者？積威約之

勢也。及已至是，言不辱者，所謂強顏耳，曷足貴乎！且西伯，伯也，拘於羑里；李斯，相也，具於五刑；淮陰，王也，受械於陳；彭越、張敖，南面稱孤，繫獄抵罪；絳侯誅諸呂，權傾五伯，囚於請室；魏其，大將也，衣赭衣，關三木；季布為朱家鉗奴；灌夫受辱於居室。此人皆身至王侯將相，聲聞鄰國，及罪至罔加，不能引決自裁。在塵埃之中，古今一體，安在其不辱也？由此言之，勇怯，勢也；強弱，形也。審矣，何足怪乎？且人不能早自裁繩墨之外，已稍陵遲，至於鞭箠之間，乃欲引節，斯不亦遠乎！古人所以重施刑於大夫者，殆為此也。

　　夫人情莫不貪生惡死，念父母，顧妻子，至激於義理者不然，乃有不得已也。今僕不幸，早失父母，無兄弟之親，獨身孤立，少卿視僕於妻子何如哉？且勇者不必死節，怯夫慕義，何處不勉焉！僕雖怯懦，欲苟活，亦頗識去就之分矣，何至自沉溺縲紲之辱哉！且夫臧獲婢妾，猶能引決，況若僕之不得已乎？所以隱忍苟活，幽於糞土之中而不辭者，恨私心有所不盡，鄙陋沒世，而文采不表於後也。

　　古者富貴而名摩滅，不可勝記，唯倜儻非常之人稱焉。蓋西伯（文王）拘而演《周易》；仲尼厄而作《春秋》；屈原放逐，乃賦《離騷》；左丘失明，厥有《國語》；孫子臏腳，《兵法》修列；不韋遷蜀，世傳《呂覽》；韓非囚秦，《說難》《孤憤》；《詩》三百篇，大底聖賢發憤之所為作也。此人皆意有所鬱結，不得通其道，故述往事、思來者。乃如左丘無目，孫子斷足，終不可用，退而論書策，以舒其憤，思垂空文以自見。

　　僕竊不遜，近自託於無能之辭，網羅天下放失舊聞，略考其行事，綜其終始，稽其成敗興壞之理，上計軒轅，下至於茲，為十表，

本紀十二，書八章，世家三十，列傳七十，凡百三十篇。亦欲以究天人之際，通古今之變，成一家之言。草創未就，會遭此禍，惜其不成，是以就極刑而無慍色。僕誠以著此書，藏之名山，傳之其人，通邑大都，則僕償前辱之責，雖萬被戮，豈有悔哉彝然此可為智者道，難為俗人言也！

　　且負下未易居，下流多謗議。僕以口語遇遭此禍，重為鄉黨戮笑，以污辱先人，亦何面目復上父母之丘墓乎？雖累百世，垢彌甚耳！是以腸一日而九回，居則忽忽若有所亡，出則不知其所往。每念斯恥，汗未嘗不發背沾衣也！身直為閨閣之臣，寧得自引深藏於岩穴邪！故且從俗浮沉，與時俯仰，以通其狂惑。今少卿乃教之以推賢進士，無乃與僕私心刺謬乎？今雖欲自雕琢，曼辭以自飾，無益，於俗不信，適足取辱耳。要之，死日然後是非乃定。書不能盡意，略陳固陋。謹再拜。

（選自司馬遷《史記》）

編選說明 ●●●

　　《報任安書》是司馬遷寫給其友人任安的一封回信。在這篇文章中，司馬遷以極其激憤的心情，申述了自己的不幸遭遇，抒發了內心的無限痛苦，大膽揭露了漢武帝的喜怒無常，剛愎自用，提出了人固有一死，或重於泰山，或輕於鴻毛的比較進步的生死觀，並表現出了他為實現可貴的理想而甘受凌辱，堅韌不屈的戰鬥精神。感情真摯，

語言流暢，具有強烈的藝術感染力。對於瞭解作者的生平和思想，有著重要價值。

劉向

行六正則榮犯六邪則辱

　　人臣之術，順從而覆命，無所敢專，義不苟合，位不苟尊，必有益於國，必有補於君，故其身尊而子孫保之。故人臣之行有六正、六邪。行六正則榮，犯六邪則辱。夫榮辱者，禍福之門也。何謂六正、六邪？

　　六正者：一曰萌芽未動，形兆未見，昭然獨見存亡之幾，得失之要，預禁乎未然之前，使主超然立乎顯榮之處，天下稱孝焉，如此者，聖臣也；二曰虛心白意，進善通道，勉主以禮義，諭主以長策，將順其美，匡救其惡，功成事立，歸善於君，不敢獨伐其勞，如此者，良臣也；三曰卑身賤體，夙興夜寐，進賢不解，數稱於往古之行事，以厲主意，庶幾有益，以安國家社稷宗廟，如此者，忠臣也；四曰明察幽，見成敗，早防而救之，引而復之，塞其間，絕其源，轉禍以為福，使君終以無憂，如此者，智臣也；五曰守文奉法，任官職事，辭祿讓賜，不受贈遺，衣服端齊，飲食節儉，如此者，貞臣也；六曰國家昏亂，所為不諛，敢犯主之嚴顏，面言主之過失，不辭其誅，身死國安，不悔所行，如此者，直臣也。是為六正也。

　　六邪者：一曰安官貪祿，營於私家，不務公事，懷其智，藏其能，主饑於論，渴於策，猶不肯盡節，容容乎與世沉浮，上下左右觀望，如此者，具臣也；二曰主所言，皆曰善，主所為，皆曰可，隱而

求主之所好即進之，以快主耳目，偷合苟容，與主為樂，不顧其後害，如此者，諛臣也；三曰中實頗險，外貌小謹，巧言令色，又心嫉賢，所欲進，則明其美而隱其惡，所欲退，則明其過而匿其美，使主妄行過任，賞罰不當，號令不行，如此者，姦臣也；四曰智足以飾非，辯足以行說，反言易辭，而成文章，內離骨肉之親，外妒亂朝廷，如此者，讒臣也；五曰專權擅勢，持抔國事以為輕重，於私門成黨以富其家，又復增加威勢，擅矯主命，以自貴顯，如此者，賊臣也；六曰諂主以邪，墜主不義，朋黨比周，以蔽主明，入則辯言好辭，出財更復異其言語，使白黑無別，是非無間，伺候可推，因而附然，使主惡布於境內，聞於四鄰，如此者，亡國之臣也。是謂六邪。

賢臣處六正之道，不行六邪之術，故上安而下治，生則見樂，死則見思，此人臣之術也。

（節選自劉向《說苑·臣術》）

編選說明 ● ● ●

本篇選自《說苑》卷二《臣術》，有刪節。《臣術》主要探討為臣之道。應該是順從君主的政令，並能及時彙報，不能獨斷專行，遇事要講原則，不能隨聲附和，在其位，不應妄自尊大，說話辦事，務必要對國家有好處，對君主有幫助，這樣做，不僅自身尊貴，而且也能保住子孫。所以，人臣的操行有六正、六邪之說。實行六正就會享受尊榮，犯下六邪就會帶來恥辱。那尊榮和恥辱，是福祿和禍患的先

兆。作為賢臣，務必要走六正的正道，千萬不要走六邪的邪路。這樣，國家安定，百姓也得到治理。而賢臣自己，活著時能享受安樂，死後也會被人們所追思。這就是人臣應該遵守的為臣之道。

戴聖

● ● ●

修身齊家治國平天下

　　大學之道，在明明德，在親民，在止於至善。知止而後有定，定而後能靜，靜而後能安，安而後能慮，慮而後能得。物有本末，事有終始。知所先後，則近道矣。古之欲明明德於天下者，先治其國。欲治其國者，先齊其家，欲齊其家者，先修其身。欲修其身者，先正其心。欲正其心者，先誠其意。欲誠其意者，先致其知。致知在格物。物格而後知至，知至而後意誠，意誠而後心正，心正而後身修，身修而後家齊，家齊而後國治，國治而後天下平。自天子以至於庶人，一是皆以修身為本。

　　所謂修身在正其心者，身有所忿懥，則不得其正，有所恐懼，則不得其正，有所好樂，則不得其正，有所憂患，則不得其正。心不在焉，視而不見，聽而不聞，食而不知其味。此謂修身在正其心。

　　所謂齊其家在修其身者，人之其所親愛而闢焉，之其所賤惡而闢焉，之其所畏敬而闢焉，之其所哀矜而闢焉，之其所敖惰而闢焉。故好而知其惡，惡而知其美者，天下鮮矣。故諺有之曰：「人莫知其子之惡，莫知其苗之碩。」此謂身不修不可以齊其家。

　　所謂治國必先齊其家者，其家不可教而能教人者，無之。故君子不出家而成教於國。孝者，所以事君也；弟者，所以事長也；慈者，所以使眾也。

所謂平天下在治其國者，上老老而民興孝，上長長而民興弟，上恤孤而民不倍，是以君子有絜矩之道也。

是故君子先慎乎德。有德此有人，有人此有土，有土此有財，有財此有用。德者本也，財者末也。外本內末，爭民施奪。是故財聚則民散，財散則民聚。是故言悖而出者，亦悖而入；貨悖而入者，亦悖而出。

生財有大道，生之者眾，食之者寡，為之者疾，用之者舒，則財恒足矣。仁者以財發身，不仁者以身發財。未有上好仁而下不好義者也，未有好義其事不終者也，未有府庫財非其財者也。孟獻子曰：「畜馬乘不察於雞豚，伐冰之家不畜牛羊，百乘之家不畜聚斂之臣。與其有聚斂之臣，寧有盜臣。」此謂國不以利為利，以義為利也。長國家而務財用者，必自小人矣。彼為善之，小人之使為國家，菑害並至。雖有善者，亦無如之何矣！此謂國不以利為利，以義為利也。

（節選自《禮記·大學》）

編選說明 ●●●

本篇選自《禮記》，有刪節。《禮記》是戰國至秦漢年間儒家學者解釋說明經書《儀禮》的文章選集，是一部儒家思想的資料彙編。《大學》集中反映了儒家的治國思想，這是儒家思想傳統中知識分子尊崇的信條。以自我完善為基礎，通過治理家庭，直到平定天下，是幾千年來無數知識者的最高理想。然而實際上，成功的機會少，失望

的時候多，於是又出現了「窮則獨善其身，達則兼善天下」的思想。「正心、修身、齊家、治國、平天下」的人生理想與「窮則獨善其身，達則兼善天下」的積極而達觀的態度相互結合補充，幾千年中影響始終不衰。

王肅

入仕為官

　　子張問入官於孔子。孔子曰：「安身取譽為難。」子張曰：「為之如何？」孔子曰：「己有善勿專，教不能勿怠，已過勿發，失言勿揜，不善勿遂，行事勿留，君子入官，有此六者，則身安譽至而政從矣。且夫忿數者，官獄所由生也；距諫者，慮之所以塞也；慢易者，禮之所以失也；怠惰者，時之所以後也；奢侈者，財之所以不足也；專獨者，事之所以不成也。君子入官，除此六者，則身安譽至而政從矣。」

　　「故君子南面臨官，大域之中而公治之，精智而略行之，合是忠信，考是大倫，存是美惡，進是利而除是害，無求其報焉，而民之情可得也。夫臨之無抗民之惡，勝之無犯民之言，量之無佼民之辭，養之無擾於其時，愛之無寬於刑法。若此，則身安譽至而民得也。」

　　「君子以臨官所見則邇，故明不可蔽也；所求於邇，故不勞而得也。所以治者約，故不用眾而譽立。凡法象在內，故法不遠而源泉不竭。是以天下積而本不寡。短長得其量，人志治而不亂政，德貫乎心，藏乎志，形乎色，發乎聲，若此，而身安譽至，民咸自治矣。是故臨官不治則亂，亂生則爭之者至，爭之至又於亂。明君必寬裕以容其民，慈愛優柔之，而民自得矣。」

　　「行者，政之始也，說者，情之導也。善政行易而民不怨，言調

說和則民不變。法在身則民象，明在己則民顯之。若乃供己而不節，則財利之生者微；貪以不得，則善政必簡矣；苟以亂之，則善言必不聽也；詳以納之，則規諫日至。言之善者，在所日聞；行之善者，在所能為。故君上者，民之儀也；有司執政者，民之表也；邇臣便僻者，群僕之倫也。故儀不正則民失，表不端則百姓亂，邇臣便僻，則群臣污矣。是以人主不可不敬乎三倫。」

「君子修身反道，察裏言而服之，則身安譽至，終始在焉。故夫女子必自擇絲麻，良工必自擇貌材，賢君必自擇左右。勞於取人，佚於治事。君子欲譽，則必謹其左右。為上者，譬如緣木焉，務高而畏下滋甚。六馬之乖離，必於四達之交衢。萬民之叛道，必於君上之失政。上者尊嚴而危，民者卑賤而神。愛之則存，惡之則亡。長民者必明此之要。故南面臨官，貴而不驕，富而能供，有本而能圖末，修事而能建業，久居而不滯，情近而暢乎遠，察一物而貫乎多，治一物而萬物不能亂者，以身本者也。」

「君子蒞民，不可以不知民之性而達諸民之情。既知其性，又習其情，然後民乃從命矣。故世舉則民親之，政均則民無怨。故君子蒞民，不臨以高，不導以遠，不責民之所不為，不強民之所不能。廓之以明王之功，不因其情，則民嚴而不迎；篤之以累年之業，不因其力，則民引而不從。若責民所不為，強民所不能，則民疾，疾則僻矣。」

「古者聖主冕而前旒，所以蔽明也；紘係尤充耳，所以掩聰也。水至清則無魚，人至察則無徒。枉而直之，使自得之；憂而柔之，使自求之；揆而度之，使自索之。民有小罪，必求其善，以赦其過；民

有大罪，必原其故，以仁輔化；如有死罪，其使之生，則善也。是以上下親而不離，道化流而不蘊。故德者，政之始也。政不和，則民不從其教矣；不從教，則民不習；不習則不可得而使也。」

「君子欲言之見信也，莫善乎先虛其內，欲政之速行也；莫善乎以身先之；欲民之速服也，莫善乎以道御之。故雖服必強，自非忠信，則無可以取親於百姓者矣。內外不相應，則無已取信於庶民者矣。此治民之至道矣，入官之大統矣。」子張既聞孔子斯言，遂退而記之。

（節選自《孔子家語·入官》）

編選說明 ● ● ●

《孔子家語》又名《孔氏家語》，或簡稱《家語》，是一部記錄孔子及孔門弟子思想言行的著作。這部著作彙集了孔子的大量言論，再現了孔子與弟子、孔子與時人談論問題的許多場景，此外，還有經過整理的孔子的家世、生平、事蹟以及孔子弟子的材料。《入官》記載了子張向孔子詢問如何入仕為官一事。

王肅
修身的目標

● ● ●

　　孔子曰：「君子有三恕，有君不能事，有臣而求其使，非恕也；有親不能孝，有子而求其報，非恕也；有兄不能敬，有弟而求其順，非恕也。士能明於三恕之本，則可謂端身矣。」

　　孔子曰：「君子有三思，不可不察也。少而不學，長無能也；老而不教，死莫之思也；有而不施，窮莫之救也。故君子少思其長則務學，老思其死則務教，有思其窮則務施。」

　　伯常騫問於孔子曰：「騫固周國之賤吏也，不自以不肖，將北面以事君子，敢問正道宜行，不容於世，隱道宜行，然亦不忍，今欲身亦不窮，道亦不隱，為之有道乎？」孔子曰：「善哉子之問也。自丘之聞，未有若吾子所問辯且說也。丘嘗聞君子之言道矣，聽者無察，則道不入，言聽者奇偉不稽，則道不信。又嘗聞君子之言事矣，制無度量，則事不成，其政曉察，則民不保。又嘗聞君子之言志矣，折者不終，徑易者則數傷，徑輕也志輕則數傷於義矣，浩倨者則不親，浩倨簡略不恭，如是則不親矣，就利者則無不弊。言好利者不可久也又嘗聞養世之君子矣，從輕勿為先，從重勿為後，見像而勿強，陳道而勿怫。此四者，丘之所聞也。」

　　孔子觀於魯桓公之廟，有欹器焉。夫子問於守廟者曰：「此謂何器？」對曰：「此蓋為宥坐之器。」孔子曰：「吾聞宥坐之器，虛則

敬，中則正，滿則覆，明君以為至誠，故常置之於坐側。」顧謂弟子曰：「試注水焉。」乃注之，水中則正，滿則覆。夫子喟然歎曰：「嗚呼！夫物惡有滿而不覆哉？」子路進曰：「敢問持滿有道乎？」子曰：「聰明睿智，守之以愚；功被天下，守之以讓；勇力振世，守之以怯；富有四海，守之以謙。此所謂損之又損之之道也。」

孔子觀於東流之水。子貢問曰：「君子所見大水，必觀焉何也？」孔子對曰：「以其不息，且遍與諸生而不為也。夫水似乎德，遍與諸生者物得水而後生水不與生而又不德也其流也則卑下，倨邑必修，其理似義；浩浩乎無屈盡之期，此似道；流行赴百仞之？而不懼，此似勇；至量必平之，此似法；盛而不求概，此似正；綽約微達，此似察；發源必東，此似志；以出以入，萬物就以化絜，此似善化也。水之德有若此，是故君子見，必觀焉。」

子貢觀於魯廟之北堂，出而問於孔子曰：「向也賜觀於太廟之堂，未既輟，還瞻北蓋，皆斷焉，輟止觀北面之蓋斷絕也彼將有說耶？匠過之也。」孔子曰：「太廟之堂宮，致良工之匠，匠致良材，盡其功巧，蓋貴久矣，尚有說也。」尚猶必也言必有說。

孔子曰：「吾有所恥，有所鄙，有所殆。夫幼而不能強學，老而無以教，吾恥之；去其鄉事君而達，卒遇故人，曾無舊言，吾鄙之；事君而達，得志於君而見故人，曾無舊言是棄其平生之舊交，而無進之之心者乎，與小人處而不能親賢，吾殆之。」殆危也夫疏賢而近小人是危亡之道也。

子路見於孔子。孔子曰：「智者若何？仁者若何？」子路對曰：「智者使人知己，仁者使人愛己。」子曰：「可謂士矣。」子路出，子

貢入，問亦如之。子貢對曰：「智者知人，仁者愛人。」子曰：「可謂士矣。」子貢出，顏回入，問亦如之。對曰：「智者自知，仁者自愛。」子曰：「可謂士君子矣。」

子貢問於孔子曰：「子從父命孝，臣從君命貞乎？奚疑焉。」孔子曰：「鄙哉賜，汝不識也。昔者明王萬乘之國，有爭臣七人，則主無過舉；天子有三公四輔主諫爭，以救其過失也。四輔前曰疑，後曰丞，左曰輔，右曰弼也，千乘之國，有爭臣五人，則社稷不危也；諸侯有三卿股肱之臣，有內外者也，故有五人焉百乘之家，有爭臣三人，大夫之臣有室老家相邑宰，凡三人能以義諫諍則祿位不替；父有爭子，不陷無禮；士有爭友，不行不義。士雖有臣，既微且陋，不能以義匡其君，故須朋友之諫爭於己，然後不義之事不得行之者也。故子從父命，奚詎為孝？臣從君命，奚詎為貞？夫能審其所從，當詳審所宜從與不之謂孝，之謂貞矣。」

子路盛服見於孔子。子曰：「由是倨倨者何也？夫江始出於岷山，其源可以濫觴，觴可以盛酒言其微及其至於江津，不舫舟不避風則不可以涉，非唯下流水多耶？今爾衣服既盛，顏色充盈，天下且孰肯以非告汝乎？」子路趨而出，改服而入，蓋自若也。子曰：「由志之，吾告汝，奮於言者華，自矜奮於言者華而無實奮於行者伐，自矜奮行者是自伐夫色智而有能者，小人也。故君子知之曰智，言之要也，不能曰不能，行之至也。言要則智，行至則仁，既仁且智，惡不足哉！」

子路問於孔子曰：「有人於此，披褐而懷玉，何如？」褐毛布衣，子曰：「國無道，隱之可也；國有道，則袞冕而執玉。」

（選自《孔子家語‧三恕》）

編選說明 ● ● ●

　　本篇選自《孔子家語‧三恕》。《孔子家語》又名《孔氏家語》，或簡稱《家語》，是一部記錄孔子及孔門弟子思想言行的著作。這部著作彙集了孔子的大量言論，再現了孔子與弟子、孔子與時人談論問題的許多場景，此外，還有經過整理的孔子的家世、生平、事蹟以及孔子弟子的材料。《三恕》通過孔子對幾個弟子志向的教導，說明了君子應該具有的方方面面的修為，以及君子需要追求的修身目標。

司馬光

訓儉示康

　　吾本寒家，世以清白相承。吾性不喜華靡，自為乳兒，長者加以金銀華美之服，輒羞赧棄去之。二十忝科名，聞喜宴獨不戴花。同年曰：「君賜不可違也。」乃簪一花。平生衣取蔽寒，食取充腹；亦不敢服垢弊以矯俗干名，但順吾性而已。

　　眾人皆以奢靡為榮，吾心獨以儉素為美。人皆嗤吾固陋，吾不以為病。應之曰：孔子稱「與其不遜也寧固」；又曰「以約失之者鮮矣」；又曰「士志於道，而恥惡衣惡食者，未足與議也」。古人以儉為美德，今人乃以儉相詬病。嘻，異哉！

　　近歲風俗尤為侈靡，走卒類士服，農夫躡絲履。吾記天聖中，先公為群牧判官，客至未嘗不置酒，或三行、五行，多不過七行。酒酤於市，果止於梨、栗、棗、柿之類；肴止於脯醢、菜羹，器用瓷漆。當時士大夫家皆然，人不相非也。會數而禮勤，物薄而情厚。近日士大夫家，酒非內法，果、肴非遠方珍異，食非多品，器皿非滿案，不敢會賓友，常量月營聚，然後敢發書。苟或不然，人爭非之，以為鄙吝。故不隨俗靡者蓋鮮矣。嗟乎！風俗頹敝如是，居位者雖不能禁，忍助之乎！

　　又聞昔李文靖公為相，治居第於封丘門內，廳事前僅容旋馬，或言其太隘。公笑曰：「居第當傳子孫，此為宰相廳事誠隘，為太祝奉

禮廳事已寬矣。」參政魯公為諫官，真宗遣使急召之，得於酒家，既入，問其所來，以實對。上曰：「卿為清望官，奈何飲於酒肆？」對曰：「臣家貧，客至無器皿、肴、果，故就酒家觴之。」上以無隱，益重之。張文節為相，自奉養如為河陽掌書記時，所親或規之曰：「公今受俸不少，而自奉若此。公雖自信清約，外人頗有公孫布被之譏。公宜少從眾。」公歎曰：「吾今日之俸，雖舉家錦衣玉食，何患不能？顧人之常情，由儉入奢易，由奢入儉難。吾今日之俸豈能常有？身豈能常存？一旦異於今日，家人習奢已久，不能頓儉，必致失所。豈若吾居位、去位、身存、身亡，常如一日乎？」嗚呼！大賢之深謀遠慮，豈庸人所及哉！

御孫曰：「儉，德之共也；侈，惡之大也。」共，同也；言有德者皆由儉來也。夫儉則寡欲：君子寡欲，則不役於物，可以直道而行；小人寡欲，則能謹身節用，遠罪豐家。故曰：「儉，德之共也。」侈則多欲：君子多欲則貪慕富貴，枉道速禍；小人多欲則多求妄用，敗家喪身；是以居官必賄，居鄉必盜。故曰：「侈，惡之大也。」

昔正考父饘以口；孟僖子知其後必有達人。季文子相三君，妾不衣帛，馬不食粟，君子以為忠。管仲鏤簋朱、山藻，孔子鄙其小器。公叔文子享衛靈公，史知其及禍；及戌，果以富得罪出亡。何曾日食萬錢，至孫以驕溢傾家。石崇以奢靡誇人，卒以此死東市。近世寇萊公豪侈冠一時，然以功業大，人莫之非，子孫習其家風，今多窮困。

其餘以儉立名，以侈自敗者多矣，不可遍數，聊舉數人以訓汝。汝非徒身當服行，當以訓汝子孫，使知前輩之風俗雲。

（選自司馬光《司馬文正公集》）

編選說明 ● ● ●

　　司馬光（1019—1086），字君實，陝州夏縣（今屬山西）涑水鄉人，世稱涑水先生，北宋著名的史學家，主持編撰了大型編年體通史《資治通鑑》。著有《司馬文正公集》等。司馬光在《訓儉示康》一文中，緊緊圍繞著「成由儉，敗由奢」這個古訓，結合自己的生活經歷和切身體驗，旁徵博引許多典型事例，對兒子進行了耐心細緻、深入淺出的教誨。司馬光認為儉樸是一種美德，並大力提倡，反對奢侈腐化，這種思想在當時封建官僚階級造成的奢靡的流俗中，無疑是具有巨大進步意義的。在今天看來，司馬光的見解和主張，也是很有現實的積極意義的。一個人對待物質生活的態度，直接關係到他事業的成功與失敗。宋朝著名的政治家、史學家司馬光以他深邃的政治眼光，敏感地洞察到了這個真理。

朱熹

白鹿洞書院學規

　　父子有親。君臣有義。夫婦有別。長幼有序。朋友有信。右五教之目。堯、舜使契為司徒，敬敷五教，即此是也。學者學此而已。而其所以學之之序，亦有五焉，其別如左：

　　博學之。審問之。慎思之。明辨之。篤行之。

　　右為學之序。學、問、思、辨四者，所以窮理也。若夫篤行之事，則自修身以至處事、接物，亦各有要，其別如左：

　　言忠信。行篤敬。懲忿窒欲。遷善改過。

　　右修身之要。

　　正其誼不謀其利。明其道不計其功。

　　右處事之要。

　　己所不欲，勿施於人。行有不得，反求諸己。

　　右接物之要。

　　熹竊觀古昔聖賢所以教人為學之意，莫非使之講明義理，以修其身，然後推以及人。非徒欲其務記覽，為詞章，以釣聲名，取利祿而已也。今人之為學者，則既反是矣。然聖賢所以教人之法，具存於經。有志之士，固當熟讀、深思而問、辨之。苟知其理之當然，而責其身以必然，則夫規矩禁防之具，豈待他人設之，而後有所持循哉？

　　近世於學有規，其待學者為已淺矣。而其為法，又未必古人之意

也。故今不復以施於此堂，而特取凡聖賢所以教人為學之大端，條列如右，而揭之楣間。諸君其相與講明遵守，而責之於身焉。則夫思慮云為之際，其所以戒謹而恐懼者，必有嚴於彼者矣。其有不然，而或出於此言之所棄，則彼所謂規者，必將取之，固不得而略也。諸君其亦念之哉！

編選說明 ● ● ●

朱熹（1130—1200），字元晦，一字仲晦，號晦庵，徽州婺源（今江西婺源縣）人，僑寓福建建陽。高宗紹興年間進士，歷仕高、孝、光、寧四朝，累官轉運副使、秘閣修撰、寶文閣待制。卒諡文，贈太師，徽國公。熹主抗金，但強調準備，韓侂胄等目為「偽學」，執教五十餘年，於經、史、文、樂及自然科學多所著述。他集客觀唯心主義的理學之大成，主滅私欲，從「天理」。明清兩代，程朱理學被奉為儒學正宗。著有《四書章句集注》《詩集傳》《楚辭集注》及後人編纂的《晦庵先生朱文公文集》《朱子語類》等。《白鹿洞書院學規》中明示：為學之意，莫非使之講明義理，以修其身，然後推以及人。

白鹿洞書院位於廬山五老峰南麓（今屬江西九江市），享有「海內第一書院」之譽。始建於南唐升元年間（940 年），是中國首間完備的書院；南唐時建成「廬山國學」（又稱「白鹿國學」），為中國歷史上唯一的由中央政府於京城之外設立的國學；宋代理學家朱熹出任

知南康軍（今星子縣）時，重建書院，親自講學，確定了書院的辦學規條和宗旨，並奏請賜額及御書，名聲大振，成為宋末至清初數百年中國一個重要文化搖籃。白鹿洞與嶽麓、睢陽、石鼓並稱天下四大書院。

文天祥

正氣歌

　　餘囚北庭，坐一土室。室廣八尺，深可四尋。單扉低小，白間短窄，污下而幽暗。當此夏日，諸氣萃然：雨潦四集，浮動床幾，時則為水氣；塗泥半朝，蒸漚歷瀾，時則為土氣；乍晴暴熱，風道四塞，時則為日氣；簷陰薪爨，助長炎虐，時則為火氣；倉腐寄頓，陳陳逼人，時則為米氣；駢肩雜沓，腥臊汗垢，時則為人氣；或圊溷、或毀屍、或腐鼠，惡氣雜出，時則為穢氣。疊是數氣，當之者鮮不為厲。而予以孱弱，俯仰其間，於茲二年矣，幸而無恙，是殆有養致然爾。然亦安知所養何哉？孟子曰：「吾善養吾浩然之氣。」彼氣有七，吾氣有一，以一敵七，吾何患焉！況浩然者，乃天地之正氣也，作正氣歌一首。

　　天地有正氣，雜然賦流形。下則為河嶽，上則為日星。於人曰浩然，沛乎塞蒼冥。皇路當清夷，含和吐明庭。時窮節乃見，一一垂丹青。在齊太史簡，在晉董狐筆。在秦張良椎，在漢蘇武節。為嚴將軍頭，為嵇侍中血。為張睢陽齒，為顏常山舌。或為遼東帽，清操厲冰雪。或為出師表，鬼神泣壯烈。或為渡江楫，慷慨吞胡羯。或為擊賊笏，逆豎頭破裂。是氣所磅　，凜烈萬古存。當其貫日月，生死安足論。地維賴以立，天柱賴以尊。三綱實係命，道義為之根。嗟予遘陽九，隸也實不力。楚囚纓其冠，傳車送窮北。鼎鑊甘如飴，求之不可

得。陰房闐鬼火，春院閉天黑。牛驥同一皂，雞棲鳳凰食。一朝蒙霧露，分作溝中瘠。如此再寒暑，百癘自辟易。嗟哉沮洳場，為我安樂國。豈有他繆巧，陰陽不能賊。顧此耿耿在，仰視浮雲白。悠悠我心悲，蒼天曷有極。哲人日已遠，典刑在夙昔。風簷展書讀，古道照顏色。

編選說明 ● ● ●

　　文天祥（1236—1282）字宋瑞，二字履善，號文山，吉州廬陵（今江西吉安）人。理宗寶祐四年（1256）舉進士第一。恭帝德祐元年（1275），元兵長驅東下，文於家鄉起兵抗元。次年，臨安被圍，除右丞相兼樞密使，奉命往敵營議和，因堅決抗爭被拘，後得以脫逃，轉戰於贛、閩、嶺南等地，兵敗被俘，堅貞不屈，就義於大都（今北京），有《文山先生全集》。

　　宋末帝趙昺祥興元年（1278），文天祥在廣東海豐兵敗被俘。次年被押解至元大都（今北京）。文天祥在獄中三年，受盡各種威逼利誘，但始終堅貞不屈。1281 年夏，在濕熱、腐臭的牢房中，文天祥寫下了與《過零丁洋》一樣名垂千古的《正氣歌》。該詩慷慨激昂，充分表現了文天祥堅貞不屈的愛國情操。1283 年 1 月 9 日，在拒絕了元世祖最後一次利誘之後，文天祥在刑場向南拜祭，從容就義。其絕命辭寫道：「孔曰成仁，孟曰取義，惟其義盡，所以仁至。讀聖賢書，所學何事，而今而後，庶幾無愧。」

張之洞

● ● ●

張之洞誡子書

　　吾兒知悉：汝出門去國，已半月餘矣。為父未嘗一日忘汝。父母愛子，無微不至，其言恨不一日離汝，然必令汝出門者，蓋欲汝用功上進，為後日國家干城之器，有用之才耳。

　　方今國事擾攘，外寇紛來，邊境屢失，腹地亦危。振興之道，第一即在治國。治國之道不一，而練兵實為首端。汝自幼即好弄，在書房中，一遇先生外出，即跳擲嬉笑，無所不為，今幸科舉早廢，否則汝亦終以一秀才老其身，決不能折桂探杏，為金馬玉堂中人物也。故學校肇開，即送汝入校。當時諸前輩猶多不以然，然餘固深知汝之性情，知決非科甲中人，故排萬難送汝入校，果也除體操外，絕無寸進。

　　余少年登科，自負清流，而汝若此，真令餘憤愧欲死。然世事多艱，飛武亦佳，因送汝東渡，入日本士官學校肄業，不與汝之性情相違。汝今既入此，應努力上進，盡得其奧。勿憚勞，勿恃貴，勇猛剛毅，務必養成一軍人資格。汝之前途，正亦未有限量，國家正在用武之秋，汝縱患不能自立，勿患人之不已知。志之志之，勿忘勿忘。

　　抑餘又有誡汝者，汝隨餘在兩湖，固總督大人之貴介子也，無人不恭待汝。今則去國萬里矣，汝平日所挾以傲人者，將不復可挾，萬一不幸肇禍，反足貽堂上以憂。汝此後當自視為貧民，為賤卒，苦身

戮力，以從事於所學。不特得學問上之益，且可藉是磨煉身心，即後日得餘之庇，畢業而後，得一官一職，亦可深知在下者之苦，而不致予智自雄。餘五旬外之人也，服官一品，名滿天下，然猶兢兢也，常自恐懼，不敢放恣。

汝隨餘久，當必親炙之，勿自以為貴介子弟，而漫不經心，此則非余所望於爾也，汝其慎之。寒暖更宜自己留意，尤戒有狹邪賭博等行為，即幸不被人知悉，亦耗費精神，拋荒學業。萬一被人發覺，甚或為日本官吏拘捕，則餘之面目，將何所在？汝固不足惜，而餘則何如？更宜力除，至囑，至囑！

餘身體甚佳，家中大小，亦均平安，不必繫念。汝盡心求學，勿妄外騖。汝苟竿頭日上，餘亦心寬體胖矣。父濤示。五月十九日。

（選自張之洞《張之洞家書》）

編選說明 ● ● ●

張之洞（1837—1909），字孝達，號香濤。直隸南皮（今屬河北）人。同治二年（1863）中進士，授編修。歷任湖北、四川學政，山西巡撫，兩廣、湖廣、兩江總督，官至體仁閣大學士、軍機大臣兼管學部。死後諡文襄。他是洋務派的重要人物之一，堅持「中學為體，西學為用」的原則，主張以「中學治身心，西學應世事」（《勸學篇會通》），著有《張文襄公全集》。單行本有《張之洞家書》，上海中央書店 1936 年印行。本篇選自《張之洞家書》，是張之洞寫給兒子

的信。俗話說：「知子莫若父。」作者身為朝廷「一品」官，深為兒
子的無所作為而感到「憤愧」。但他深知兒子的資質稟性，毅然送他
到日本士官學校習武，一方面「不與汝之性情相違」；一方面「國家
正在用武之秋」，可以使兒子成為「有用之才」。作者還告誡兒子不
要「自以為貴介子弟」，要「自視為貧民，為賤卒，苦身戮力，以從
事於所學」。全文既有對兒子的委婉責備，更多耐心的教導、殷切的
期待和深切的思念，寫得語重心長。

擴展閱讀 ● ● ●

1. 中華書局編輯部：《「二十四史」〈簡體字本〉》（63 冊），中華書局
1998 年版

2. 司馬光編著，胡三省音注：《資治通鑒》，中華書局 1956 年版

2. 歸鼒主編：《二十六史精粹今譯》，人民日報出版社 1991 年版

4. 梁錫鋒注說：《詩經》，河南大學出版社 2008 年版

5. 姜建設注說：《尚書》，河南大學出版社 2008 年版

6. 臧知非注說：《論語》，河南大學出版社 2008 年版

7. 曹建國、張玖青注說：《國語》，河南大學出版社 2008 年版

8. 楊朝明注說：《孔子家語》，河南大學出版社 2008 年版

9. 蘇鳳捷、程梅花注說：《墨子》，河南大學出版社 2008 年版

10.何曉明、周春健注說：《孟子》，河南大學出版社 2008 年版

11.曹礎基注說：《莊子》，河南大學出版社 2008 年版

12.楊朝明注說：《荀子》，河南大學出版社 2008 年版

13.趙沛注說：《韓非子》，河南大學出版社 2008 年版

14.趙國華注說：《孫子兵法》，河南大學出版社 2008 年版

15.王健注說：《潛夫論》，河南大學出版社 2008 年版

16.張富祥注說：《呂氏春秋》，河南大學出版社 2008 年版

17.楊有禮注說：《淮南子》，河南大學出版社 2010 年版

18.曾振宇注說：《春秋繁露》，河南大學出版社 2009 年版

19.夏延章等譯注：《四書今譯》，江西人民出版社 1986 年版

20.王曉明注釋：《呂氏春秋通詮》，江西人民出版社 2010 年版

21.劉世南、唐滿先譯注：《古文觀止譯注》，百花洲文藝出版社 2009 年版

後記 ●●●

　　在人類文明的歷史長河中，從世界到中國，從遠古到現今，一批批先賢哲人為我們留下了難以計數的經典著作，這些作品極大地推動了社會的進步，豐富了人們的精神文化生活，是人類文明的瑰寶。

　　中共江西省委宣傳部組織專家按政治、經濟、哲學、法學、文學、歷史、藝術、科技八個門類，從古今中外的經典著作中精選了一批有代表性的作品，分別編輯成冊，供廣大幹部學習借鑒。我們相信，廣大讀者一定可以通過閱讀這套書，獲取知識，獲取智慧，獲取力量。

　　在選編過程中，借鑒選用了國內一些出版社公開出版的經典著作中的篇章，藉此機會，特向這些著作的著者、整理者、譯者和出版者表示誠摯的謝意。同時歡迎相關著者、譯者見到本書後與我們聯繫，我們將按有關標準及時奉寄稿酬。由於時間緊，加之水準有限，遺珠之處在所難免，請廣大讀者批評指正。

江西人民出版社

2011 年 11 月

昌明文庫．悅讀經典 A0601006

一生必讀的中外經典名著‧歷史卷

選　　編	陳曉鳴、萬振凡
責任編輯	蔡雅如
發 行 人	陳滿銘
總 經 理	梁錦興
總 編 輯	陳滿銘
副總編輯	張晏瑞
編 輯 所	萬卷樓圖書股份有限公司
排　　版	菩薩蠻數位文化有限公司
印　　刷	百通科技股份有限公司
封面設計	菩薩蠻數位文化有限公司

出　　版　昌明文化有限公司

桃園市龜山區中原街 32 號

電話　(02)23216565

發　　行　萬卷樓圖書股份有限公司

臺北市羅斯福路二段 41 號 6 樓之 3

電話　(02)23216565

傳真　(02)23218698

電郵　SERVICE@WANJUAN.COM.TW

大陸經銷

廈門外圖臺灣書店有限公司

　　電郵　JKB188@188.COM

ISBN 978-986-496-034-7

2017 年 7 月初版

定價：新臺幣 400 元

如何購買本書：

1. 劃撥購書，請透過以下郵政劃撥帳號：

　　帳號：15624015

　　戶名：萬卷樓圖書股份有限公司

2. 轉帳購書，請透過以下帳戶

　　合作金庫銀行　古亭分行

　　戶名：萬卷樓圖書股份有限公司

　　帳號：0877717092596

3. 網路購書，請透過萬卷樓網站

　　網址　WWW.WANJUAN.COM.TW

大量購書，請直接聯繫我們，將有專人為您
服務。客服：(02)23216565 分機 10

如有缺頁、破損或裝訂錯誤，請寄回更換

版權所有‧翻印必究

Copyright©2016 by WanJuanLou Books CO., Ltd.

All Right Reserved　　　　　　Printed in Taiwan

國家圖書館出版品預行編目資料

一生必讀的中外經典名著. 歷史卷 / 陳曉鳴,
萬振凡選編. -- 初版. -- 桃園市：昌明文化出
版；臺北市：萬卷樓發行, 2017.07
　　面；　　公分. -- (昌明文庫. 悅讀經典；
A0601006)　　ISBN 978-986-496-034-7(平裝)
1.推薦書目
012.4　　　　　　　　　　　　　106011518